O ESTRANGEIRO

OBRAS DO AUTOR PUBLICADAS PELA EDITORA RECORD

Romance

O estangeiro

A morte feliz

A peste

O primeiro homem

A queda

Contos

O exílio e o reino

Teatro

Estado de sítio

Ensaio

O avesso e o direito

Bodas em Tipassa

Conferências e discurso — 1937-1958

O homem revoltado

A inteligência e o cadafalso

O mito de Sísifo

Reflexão sobre a guilhotina

Memórias

Diário de viagem

Correspondência

Caro professor Germain: cartas e escritos

Escreva muito e sem medo: uma história de amor em cartas (1944-1959)

Coletânea

Camus, o viajante

ALBERT CAMUS

O ESTRANGEIRO

TRADUÇÃO DE
VALERIE RUMJANEK

68ª edição

EDITORA RECORD
RIO DE JANEIRO • SÃO PAULO
2025

CIP-BRASIL. CATALOGAÇÃO NA FONTE
SINDICATO NACIONAL DOS EDITORES DE LIVROS, RJ

Camus, Albert, 1913-1960
C17e O estrangeiro / Albert Camus; tradução de Valerie Rumjanek. –
68ª ed. 68ª ed. – Rio de Janeiro: Record, 2025.

Tradução de: L'Étranger
ISBN 978-85-01-01486-3

1. 1. Romance francês. I. Rumjanek, Valerie. II. Título.

CDD–843
93-0464 CDU–840-3

TÍTULO ORIGINAL:
L'ÉTRANGER

Texto revisado segundo o Acordo Ortográfico da Língua Portuguesa 1990.

Direitos exclusivos de publicação em língua portuguesa somente para o Brasil adquiridos pela
EDITORA RECORD LTDA.
Rua Argentina, 171 – Rio de Janeiro, RJ – 20921-380 – Tel.: (21) 2585-2000, que se reserva a propriedade literária desta tradução.

Impresso no Brasil

ISBN 978-85-01-01486-3

Prefácio

O estrangeiro, tragédia solar

Passados setenta anos de sua publicação, *O estrangeiro* (1942) continua sendo um dos livros mais enigmáticos da literatura francesa do século XX, ora assimilado às vanguardas, ora definido como "o primeiro romance clássico do pós-guerra", nas palavras de Roland Barthes.

Por um lado, o romance de Albert Camus inaugura uma espécie singular de escrita transparente, neutra, tão distante das coisas que descreve quanto o personagem que habita suas páginas: Meursault é um funcionário de escritório, na cidade de Argel, que assiste indiferente ao enterro da mãe, para em seguida se enamorar de uma ex-colega de trabalho e se deixar envolver numa trama de vingança amorosa que lhe é inteiramente alheia, mas cujos acasos o levarão a cometer um assassinato.

Estamos diante de uma consciência esvaziada, estranha (ou "estrangeira") a tudo, que vive no tempo presente e na recusa de estabelecer nexos entre a gratuidade dos fatos. Esse novo tipo de herói — ou, no caso, de anti-herói, pelo caráter banal de sua existência nua — antecipa em duas décadas o *nouveau roman* de Alain Robbe-Grillet e Claude Simon, com seus enredos confinados na descrição fenomenológica das coisas e em ações que rejeitam determinações sociais ou explicações de ordem psicológica.

Por outro lado, o livro tem um enorme rigor estilístico, uma atenção obsessiva para que nada escape ao movimento de escrita que conduz a soma arregimentada de acasos a seu destino final — como se uma fatalidade mítica governasse as peripécias de Meursault. O clímax do livro é o assassinato do árabe na praia, cometido sem qualquer premeditação e ditado por um impulso que tampouco pode ser atribuído a um colapso da consciência:

> Foi então que tudo vacilou. O mar trouxe um sopro espesso e ardente. Pareceu-me que o céu se abria em toda a sua extensão, deixando chover fogo. Todo o meu ser se retesou e crispei a mão sobre o revólver. O gatilho cedeu, toquei o ventre polido da coronha e foi aí, no barulho ao mesmo tempo seco e ensurdecedor, que tudo começou. Sacudi o suor e o sol. Compreendi que destruíra o equilíbrio do dia, o silêncio excepcional de uma praia onde havia sido feliz. Então atirei quatro vezes ainda num corpo inerte em que as balas se enterravam sem que se desse por isso. E era como se desse quatro batidas secas na porta da desgraça.

A imagem bíblica das labaredas descendo dos céus como um castigo, as batidas na porta do destino, a *húbris* grega (desmedida, excesso) do herói que desafia os interditos da comunidade, são elementos que associam *O estrangeiro* ao andamento de uma tragédia em que, no dizer de Barthes, "o fogo solar funciona com o rigor da Necessidade antiga".

Soma-se a isso o fato notável (e que oferece uma dificuldade secreta, quase imperceptível, neste livro de aparente simplicidade) de que é o próprio Meursault quem conta suas desventuras — e de que essa narrativa cria uma espécie de dissonância interna. Cada capítulo se inicia como as páginas de um diário, escritas no tempo presente de frases cumulativas. Ou seja, ele não se põe a narrar após o assassinato, durante o ócio carcerário em que espera seu julgamento; não narra como quem recapitula um passado que deverá conduzir ao desfecho dramático (conforme as convenções do narrador onisciente).

Essa estrutura contém um paradoxo: se, antes do crime, Meursault vive na plenitude e na insignificância do instante, por que ele decide relatar, no tempo presente, seu cotidiano sem sobressaltos? Por que resolve dar forma e sentido a uma vivência que a todo momento nos afirma o caráter amorfo da experiência, seu não sentido essencial? A força de *O estrangeiro* não consiste justamente no contraste do ritmo monótono de acontecimentos estanques, da indiferença de Meursault (que a todo momento responde às demandas alheias com a frase "Tanto faz"), com a sequência do julgamento, em que os representantes da lei querem estabelecer nexos de causa e efeito entre suas atitudes pregressas (a apatia no velório da mãe, sua ida ao cinema com a namorada logo após o enterro) e o crime que ele cometeu?

A pergunta é de difícil resposta, mas sugere que existe um narrador oculto que se coloca na carne de Meursault, que veste nele a máscara do mito da "consciência desterrada" (Barthes), encenando uma banalidade que torna mais eloquentes as consequências trágicas inoculadas nos gestos inocentes.

Há uma passagem de *O estrangeiro* que nos oferece uma indicação sutil dessa contradição interna entre a matéria narrada e sua forma, entre a estrutura confessional do romance e a recusa de sua personagem em aceitar a lógica dos tribunais e da sociedade (recusa que atinge seu clímax quando Meursault, perguntado sobre os motivos que inspiraram seu ato, replica que matara o árabe "por causa do sol"). Num dado momento da segunda parte, em sua cela, Meursault encontra um recorte de jornal que relata um *fait divers* passado na Tchecoslováquia: um homem retorna à aldeia da qual partira quando jovem; não sendo reconhecido pela mãe, já idosa, resolve por brincadeira se hospedar, sem se identificar, no hotel que ela e a filha (irmã do viajante) mantêm; na calada da noite, sua mãe e sua irmã assassinam o bem-sucedido — e incógnito — filho para roubar seu dinheiro; pela manhã, quando sua esposa vem procurá-lo, acaba revelando a identidade da vítima para a mãe, que se enforca, e para a irmã, que se atira num poço.

Com pequenas mudanças, a crônica policial que Meursault lê na prisão é o enredo completo de *O mal-entendido*, a peça que Camus publica em 1944 — o que por si só mostra a circularidade de sua obra, a obsessão pelo tema da gratuidade e do acaso trágico, que reaparece na forma de citações de um livro por outro (como na passagem de *A peste* em que alguém comenta, nas ruas de Orã, "uma prisão recente que alvoroçava Argel [...] de um jovem que matara um árabe numa praia", irônica referência ao enredo de *O estrangeiro*).

O que importa aqui, porém, é o comentário de Meursault: "Por um lado, era inverossímil. Por outro lado, era natural", diz ele sobre esse episódio tenebroso. A frase (mais uma volta no desenho concêntrico da obra camusiana) será retomada no início de *A peste*, quando o narrador assim define sua crônica sobre a cidade sitiada pela epidemia: "Esses fatos parecerão a alguns perfeitamente naturais e a outros, pelo contrário, inverossímeis." A oscilação entre o natural e o inverossímil define, portanto, a literatura de Camus e nos auxilia a ver no herói de *O estrangeiro* uma entidade mítica nas vestes do homem comum.

No primeiro romance de Camus, portanto, temos ao mesmo tempo um livro renovador da prosa francesa e uma narrativa clássica, cujas reiterações deitam raízes no pessimismo dos moralistas franceses (Pascal, Chamfort) ou num romance como *A princesa de Clèves*, de Madame de Lafayette — no qual Camus identificou um processo de composição que se aplica também a *O estrangeiro* e consiste em expor "uma certa concepção de homem que a inteligência se esforça em colocar em evidência em meio a um pequeno número de situações" (*A inteligência e o cadafalso e outros ensaios*, Record, 1998).

No caso de Camus, essa "concepção de homem" estará em toda parte, mas se torna mais explícita em *O mito de Sísifo*, ensaio que mostra ser o absurdo, "o divórcio entre o homem e sua vida, entre o ator e seu cenário", o motor de nossa obstinação de jogar uma partida que sabemos perdida de antemão. Meursault não tira conclusões dessas premissas, como ocorre com o autor de *O mito de Sísifo*. *O estrangeiro* não pertence ao rol dos romances filosóficos que, de Voltaire e Montesquieu a Sartre, fizeram a glória da literatura francesa. *O estrangeiro* não é, enfim, a ilustração ficcional de uma filosofia, mas formula uma sensibilidade, um sentimento de absurdo, a "divina disponibilidade do condenado à morte" (*O mito de Sísifo*) que ressoa no grito final de Meursault, às vésperas do cadafalso:

> Do fundo do meu futuro, durante toda esta vida absurda que eu levara, subira até mim, através dos anos que ainda não tinham chegado, um sopro obscuro, e esse sopro igualava, à sua passagem, tudo o que me haviam proposto nos anos, não mais reais, que eu vivia.

Manuel da Costa Pinto

Jornalista, autor de *Albert Camus: Um elogio do ensaio* (Ateliê Editorial), organizador e tradutor da antologia *A inteligência e o cadafalso e outros ensaios*, de Albert Camus (Editora Record).

PARTE I

1

Hoje, mamãe morreu. Ou talvez ontem, não sei bem. Recebi um telegrama do asilo: "Sua mãe faleceu. Enterro amanhã. Sentidos pêsames." Isso não esclarece nada. Talvez tenha sido ontem.

O asilo de velhos fica em Marengo, a oitenta quilômetros de Argel. Vou tomar o ônibus às duas horas e chego ainda à tarde. Assim posso velar o corpo e estar de volta amanhã à noite. Pedi dois dias de licença a meu patrão e, com uma desculpa destas, ele não podia recusar. Mas não estava com um ar muito satisfeito. Cheguei mesmo a dizer-lhe: "A culpa não é minha." Não respondeu. Pensei, então, que não devia ter-lhe dito isto. A verdade é que eu nada tinha por que me desculpar. Cabia a ele dar-me pêsames. Com certeza, irá fazê-lo depois de amanhã, quando me vir de luto. Por ora é um pouco como se mamãe não tivesse morrido. Depois do enterro, pelo contrário, será um caso encerrado e tudo passará a revestir-se de um ar mais oficial.

Peguei o ônibus às duas horas. Fazia muito calor.

Como de costume, almocei no restaurante do Céleste. Estavam todos com muita pena de mim e Céleste me disse: "Mãe, só se tem uma." Quando saí, acompanharam-me até a porta. Estava um pouco atordoado porque foi preciso ir à casa de Emmanuel para lhe pedir emprestadas uma braçadeira e uma gravata preta. Ele perdeu o tio há alguns meses.

Corri para não perder o ônibus. Esta pressa, esta corrida, os solavancos, o cheiro da gasolina, a luminosidade da estrada e do céu, tudo isso contribuiu, sem dúvida, para que eu adormecesse. Dormi durante quase todo o trajeto. E quando acordei estava apoiado em um soldado, que sorriu e me perguntou se eu vinha de longe. Respondi "sim" para não ter de falar mais.

O asilo fica a dois quilômetros da aldeia. Fiz o percurso a pé. Quis ver mamãe imediatamente. Mas o porteiro disse-me que eu precisava procurar o diretor. Como ele estava ocupado, esperei um pouco. Durante todo este tempo o porteiro não parou de falar. Depois o diretor recebeu-me no seu gabinete. É um velhote, que tem a Legião de Honra. Fitou-me com seus olhos claros. Depois apertou-me a mão e conservou-a durante tanto tempo na sua que não sabia mais como retirá-la. Consultou uma pasta e disse-me:

— A Sra. Meursault entrou aqui há três anos. O senhor era seu único apoio. — Achei que me estava censurando por alguma coisa e comecei a explicar-lhe. Mas ele me interrompeu: — Não tem de justificar-se, meu filho. Estive lendo o dossiê da sua mãe. O senhor não podia prover o seu sustento. Ela precisava de uma enfermeira. O seu ordenado é modesto. E, afinal, ela era mais feliz aqui.

— Sim, Sr. Diretor — concordei.

— O senhor sabe — acrescentou ele —, aqui ela tinha amigos, gente da mesma idade. Podia partilhar com eles interesses de outros tempos. O senhor é jovem e ela certamente se entediava na sua companhia.

Era verdade. Quando estava lá em casa, mamãe passava todo o tempo a me seguir em silêncio com os olhos. Nos primeiros dias de asilo chorava muitas vezes. Mas era por causa do hábito. Ao fim de alguns meses teria chorado se a tirassem de lá, tudo por causa do hábito. Foi um pouco por isto que no último ano quase não fui visitá-la. E também porque a visita me tirava o domingo, sem contar o esforço para ir até o ônibus, pegar as passagens e fazer duas horas de viagem.

O diretor continuou a falar. Mas eu quase não o escutava mais. Em seguida, me disse:

— Imagino que deseje ver sua mãe! — Levantei-me sem nada dizer e acompanhei-o até a porta. Nas escadas ele me explicou:
— Nós a transportamos para o nosso pequeno necrotério. Para não impressionar os outros. Cada vez que um pensionista morre, os outros ficam nervosos durante dois ou três dias, o que torna o serviço difícil.

Atravessamos um pátio, onde havia muitos velhos conversando em pequenos grupos, uns com os outros. Calavam-se à nossa passagem. E atrás de nós as conversas recomeçavam. Dir-se-ia um papaguear abafado. À porta de um pequeno prédio, o diretor disse:

— Vou deixá-lo agora, Sr. Meursault. Estou às suas ordens no gabinete. Em princípio, o enterro está marcado para as dez horas da manhã. Pensamos que o senhor podia, assim, fazer o velório da falecida. Uma última coisa: parece que a sua mãe expressou muitas vezes aos amigos o desejo de ter um enterro religioso. Assumi a responsabilidade de providenciá-lo, mas queria colocá-lo a par.

Agradeci. Mamãe, embora sem ser ateia, nunca pensou, em vida, na religião. Entrei. Era uma sala muito clara, caiada de branco e com uma claraboia. Estava mobiliada com algumas cadeiras e cavaletes em forma de X. Dois deles, no meio da sala, sustentavam um caixão fechado. Viam-se, apenas, parafusos brilhantes, mal colocados, destacando-se das tábuas enceradas. Perto do caixão estava uma enfermeira árabe de bata branca com um lenço bem colorido na cabeça. Neste momento, atrás de mim, entrou o porteiro. Devia ter corrido. Gaguejou um pouco:

— Fecharam-no, mas eu vou desaparafusar o caixão para que o senhor possa vê-la. — Aproximava-se do caixão quando eu o detive. — Não quer?

— Não — respondi.

Calou-se e eu fiquei constrangido porque senti que não deveria ter dito isso. Momentos depois, me olhou.

— Por quê? — perguntou, mas sem censura, como se pedisse uma informação.

— Não sei.

Então, retorcendo o bigode branco, declarou, sem olhar para mim:

— Eu compreendo. — Tinha olhos bonitos, azul-claros, e a tez um pouco avermelhada. Deu-me uma cadeira e sentou-se também, um pouco atrás. A enfermeira levantou-se e dirigiu-se para a saída. Nesse momento, o porteiro me disse: — O que ela tem é um cancro.

Como não entendesse o que ele dizia, olhei para a enfermeira e vi que usava, por baixo dos olhos, uma atadura que dava a volta à cabeça. Na altura do nariz, a atadura estava reta. Só se via a brancura da bandagem no seu rosto.

Quando ela saiu, o porteiro falou:

— Vou deixá-lo sozinho.

Não sei bem que gesto fiz, mas ele continuou de pé, atrás de mim. Esta presença às minhas costas me perturbava. A sala estava cheia de uma bela luz de fim de tarde. Dois besouros zumbiam contra a vidraça. E eu senti o sono me dominar. Disse ao porteiro, sem me voltar para ele:

— Há quanto tempo está aqui?

— Cinco anos — respondeu ele imediatamente, como se estivesse a vida toda à espera da minha pergunta.

Em seguida, conversou muito. Ele teria ficado muito espantado se alguém lhe tivesse dito que acabaria como porteiro do asilo de Marengo. Tinha sessenta e quatro anos e era parisiense. Nesse momento, eu o interrompi:

— Ah, o senhor não é daqui?

Depois, lembrei-me de que, antes de me conduzir ao diretor, ele me falara de mamãe. Dissera-me que era preciso enterrá-la depressa, porque na planície fazia muito calor, sobretudo nesta região. Foi então que me informou ter vivido em Paris e que tinha dificuldade em esquecer. Em Paris, às vezes fica-se com o morto três ou quatro dias. Aqui não, ainda nem nos acostumamos à ideia e já temos de correr atrás do carro funerário. A mulher dele lhe dissera, então: "Cale-se, não são coisas que se digam ao senhor." O velho enrubescera e se desculpara. Eu interrompi para dizer "Não, não...". Achava o que dizia certo e interessante.

No pequeno necrotério, confiou-me que entrara no asilo como indigente. Como se sentia ainda útil, oferecera-se para o lugar de porteiro. Observei que afinal era também um pensionista. Disse-me que não. Já me chamara atenção a maneira pela qual se referia a "eles", aos "outros" e, mais raramente, aos "velhos", ao falar dos pensionistas, alguns dos quais não eram mais velhos do que ele. Mas não era a mesma coisa, evidentemente. Ele era porteiro, e, de certa forma, tinha direitos sobre os outros.

Nesse momento, entrou a enfermeira. A tarde caíra bruscamente. Muito depressa a noite tornara-se espessa através da claraboia. O porteiro ligou o interruptor e eu fiquei por momentos ofuscado pela irrupção súbita da luz. Convidou-me para ir ao refeitório e jantar. Mas eu não estava com fome. Ofereceu-se, então, para me trazer uma xícara de café com leite. Como gosto muito de café com leite, aceitei, e ele voltou alguns instantes depois com uma bandeja. Bebi. Tive, então, vontade de fumar. Mas hesitei, porque não sabia se podia, diante de mamãe. Pensei: não tinha nenhuma importância. Ofereci um cigarro ao porteiro e fumamos.

— Não sei se sabe — disse, em dado momento —, mas os amigos da senhora sua mãe também vêm para velá-la. É o costume. Tenho de ir buscar cadeiras e café.

Perguntei-lhe se não se poderia apagar uma das lâmpadas. O brilho da luz das paredes brancas me cansava. Disse-me que não era possível. A instalação era feita assim: ou tudo ou nada. A partir daí, não prestei mais muita atenção nele. Saiu, voltou, arrumou as cadeiras. Numa delas, empilhou xícaras à volta de uma cafeteira. Depois sentou-se diante de mim, do outro lado de mamãe. A enfermeira estava também no fundo, de costas. Não via o que ela estava fazendo. Mas, pelo movimento dos braços, acho que fazia tricô. A temperatura era agradável, o café me reanimara, e pela porta aberta entrava um cheiro de noite e de flores. Acho que cochilei um pouco.

Foi um farfalhar que me despertou. Por ter fechado os olhos, a sala pareceu-me de um branco ainda mais brilhante. Na minha frente não havia uma única sombra, e cada objeto, cada ângulo, todas as curvas desenhavam-se com uma pureza que me feria os olhos. Foi neste momento que entraram os amigos de mamãe. Ao todo eram uns dez e deslizavam em silêncio, na luz que cegava. Sentaram-se, sem que uma só cadeira rangesse. Eu os via como nunca vira ninguém até então, nem um só detalhe de seus rostos ou dos seus trajes me escapava. Não os ouvia, no entanto, e tinha dificuldade em acreditar que fossem reais. Quase todas as mulheres usavam um avental, e o cordão que lhes apertava a cintura lhes destacava mais o ventre caído. Nunca havia reparado que as barrigas das mulheres velhas podiam ser tão grandes. Os homens eram quase todos muito magros, e empunhavam bengalas. O que me impressionava nas suas fisionomias era que eu não lhes via os olhos, mas unicamente um brilho fosco no meio de um ninho de rugas. Quando se sentaram, a maioria deles olhou-me e balançou a cabeça com constrangimento, os lábios todos comidos pelas bocas desdentadas, sem que eu soubesse ao certo se me estavam cumprimentando ou se era apenas um tique. Acredito que me cumprimentavam. Foi nesse momento que me dei conta de que estavam todos sentados diante de mim, meneando as cabeças em volta do porteiro. Por um momento, tive a impressão ridícula de que estavam ali para me julgar.

Pouco depois, uma das mulheres começou a chorar. Estava na segunda fila, escondida por uma de suas companheiras, e eu não a via muito bem. Chorava, dando pequenos gritos regularmente: parecia-me que nunca mais pararia. Os outros davam a impressão de não ouvir. Estavam abatidos, tristes e silenciosos. Olhavam para o caixão, para a bengala ou para qualquer coisa, mas só isso. A mulher continuava a chorar. Eu estava muito admirado porque não a conhecia. Gostaria de não a ouvir mais. Não ousava dizer isso, porém. O porteiro debruçou-se sobre ela, falou-lhe, mas ela sacudiu a cabeça, balbuciou qualquer coisa e continuou a chorar com a mesma regularidade. O porteiro veio, então, para o meu lado. Sentou-se junto de mim. Ao fim de um longo momento, informou, sem me olhar:

— Ela era muito ligada à senhora sua mãe. Diz que era sua única amiga e que agora não tem mais ninguém.

Ficamos assim por um longo momento. Os suspiros e os soluços da mulher tornavam-se mais raros. Fungava muito. Por fim, calou-se. Eu não tinha mais sono, mas estava cansado e me doíam os rins. Agora era o silêncio de todas aquelas pessoas que me era penoso. Apenas de vez em quando ouvia um ruído estranho, e não conseguia compreender de que se tratava. Acabei adivinhando que alguns dos velhos chupavam o interior das bochechas, deixando escapar esses estranhos estalidos. Estavam tão absortos nos seus pensamentos que nem se davam conta disso. Tinha até a impressão de que esta morta, deitada no meio deles, nada significava a seus olhos. Mas hoje creio que era uma impressão falsa.

Tomamos todos café, servido pelo porteiro. Em seguida, não sei mais nada. A noite passou. Lembro-me de que em dado momento abri os olhos e vi que os velhos dormiam dobrados sobre si mesmos, à exceção de um único que, de queixo encostado às costas das mãos, que se agarravam à bengala, me olhava fixamente, como se esperasse apenas o meu despertar. Depois, voltei a adormecer. Acordei porque os rins me doíam cada vez mais. O dia resvalava sobre a vidraça. Logo depois, um dos velhos acordou e tossiu muito. Escarrava num grande lenço xadrez e, todas as vezes, era como se os escarros fossem arrancados. Acordou os outros e o porteiro disse que deviam ir embora. Levantaram-se. Essa vigília incômoda lhes dera às fisionomias um ar de cinzas. Ao saírem, e para grande espanto meu, vieram todos apertar-me a mão como se esta noite, em que não havíamos trocado uma só palavra, tivesse aumentado a nossa intimidade.

Estava cansado. O porteiro me levou ao seu quarto e pude arrumar-me um pouco. Voltei a tomar café com leite, que estava muito bom. Quando saí, o sol tinha nascido completamente. Por cima das colinas que separam Marengo do mar o céu estava cheio de manchas vermelhas. E o vento, que passava por cima delas, trazia um cheiro de sal. Era um belo dia que se anunciava. Havia muito tempo que não ia ao campo e sentia o prazer que teria em passear, se não fosse por mamãe.

Mas esperei no pátio, debaixo de um plátano. Respirava o cheiro da terra úmida e não tinha mais sono. Pensei nos colegas do escritório. A esta hora levantavam-se para ir trabalhar; para mim, era sempre a hora mais difícil. Pensei um pouco mais nessas coisas, mas um sino que tocava no interior dos prédios me distraiu. Houve uma movimentação por trás das janelas e, depois, tudo se acalmou. O sol estava um pouco mais alto: começava a aquecer meus pés. O porteiro atravessou o pátio e veio dizer que o diretor estava me chamando. Fui ao seu escritório. Fez com que eu assinasse alguns documentos. Reparei que estava vestido de preto, com calças listradas. Pegou o telefone e me interpelou:

— Os empregados da agência funerária já chegaram. Vou pedir-lhes que fechem o caixão. Quer ver a sua mãe pela última vez? — Disse que não. Baixando a voz, deu uma ordem pelo telefone: — Figeac, diga aos homens que podem ir.

Disse-me, em seguida, que assistiria ao enterro, e eu agradeci. Sentou-se por trás da escrivaninha, cruzou as pequenas pernas. Informou-me de que estaríamos só eu e ele, com a enfermeira de plantão. Em princípio, os pensionistas não deviam assistir aos enterros. Deixava-os apenas fazer o velório.

— É uma questão de humanidade — observou. Mas, nesse caso, dera autorização para acompanhar o cortejo a um velho amigo de mamãe: Thomas Pérez. Então, o diretor sorriu e disse: — Não sei se compreende, é um sentimento um pouco infantil. Mas ele e a sua mãe nunca se separavam. No asilo, brincavam com eles, e diziam a Pérez: "É a sua noiva." Ele ria. Isso lhes agradava. E o fato é que a morte da Sra. Meursault o abalou muito. Achei que não lhe devia recusar a autorização. Mas, a conselho do médico, proibi-lhe o velório de ontem.

Ficamos calados durante bastante tempo. O diretor levantou-se e olhou pela janela do escritório. A certa altura, observou:

— Chegou o pároco de Marengo. Está adiantado.

Avisou que seriam necessários pelo menos quarenta e cinco minutos para ir a pé até a igreja, que fica na própria aldeia. Descemos. Diante do prédio estavam o padre e dois coroinhas. Um deles segurava um turíbulo e o padre abaixava-se para regular o comprimento da corrente de prata. Quando chegamos, o padre se levantou. Tratou-me de "meu filho" e disse-me algumas palavras. Entrou, e eu o segui.

Vi, de relance, que os parafusos do caixão estavam apertados e que havia na sala quatro homens negros. Ouvi, ao mesmo tempo, o diretor dizer-me que o carro estava à espera na estrada e o padre começar as suas orações. A partir deste momento, tudo se passou muito depressa. Os homens aproximaram-se do caixão, com um lençol. O padre, os seus acólitos, o diretor e eu saímos. Diante da porta estava uma senhora que eu não conhecia. "O Sr. Meursault", disse o diretor. Não ouvi o nome dessa senhora e apenas compreendi que ela era enfermeira. Sem um sorriso, ela inclinou o rosto ossudo e comprido. Depois, nós nos afastamos para deixar passar o corpo. Seguimos os homens e saímos do asilo. Diante da porta estava o carro: envernizado, comprido e reluzente, me lembrava um porta-canetas. Ao lado dele estava o agente funerário, homenzinho de roupas ridículas, e um velho com um ar constrangido. Compreendi que era o Sr. Pérez. Tinha um chapéu de feltro, de copa arredondada e abas largas (tirou-o quando o caixão atravessou a porta), um terno cujas calças se enrolavam nos sapatos e uma gravata de tecido preto, pequena demais para a camisa branca de colarinho alto. Os seus lábios tremiam debaixo de um nariz semeado de pontos pretos. Os cabelos brancos, bastante finos, deixavam passar curiosas orelhas pendentes e mal-acabadas, de uma cor vermelho sangue que, no rosto pálido, me impressionou. O agente funerário indicou-nos os lugares. O padre ia na frente, depois vinha o carro. Em volta deste, os quatro homens. Atrás, o diretor e eu, e fechando o cortejo, a enfermeira e o Sr. Pérez.

O céu já estava cheio de sol. Começava a pesar sobre a terra e o calor aumentava rapidamente. Não sei por que esperamos bastante tempo antes de começarmos a andar. Eu estava com calor debaixo das roupas escuras. O velhinho, que tornara a cobrir a cabeça, tirou outra vez o chapéu. Voltara-me um pouco para o seu lado e o olhava quando o diretor me falou dele. Disse-me que, muitas vezes, minha mãe e o Sr. Pérez iam passear à noite até a aldeia, acompanhados por uma enfermeira. Eu olhava os campos à minha volta. Por meio das linhas de ciprestes que conduziam às colinas perto do céu, desta terra ruça e verde, destas casas esparsas e bem desenhadas, eu compreendia mamãe. A noite nesta região devia ser como uma melancólica trégua. Hoje, o sol transbordante, que fazia estremecer a paisagem, tornava-a deprimente e desumana.

Pusemo-nos a caminho. Foi nesse momento que reparei que o Sr. Pérez mancava ligeiramente. Pouco a pouco, a velocidade do carro aumentava, e o velho ficava para trás. Um dos homens que rodeava o carro também se deixou ultrapassar e andava agora a meu lado. Eu estava admirado pela rapidez com que o sol subia no céu. Eu me dei conta de que havia muito o campo zumbia com o canto dos insetos e o crepitar da grama. O suor escorria pelo meu rosto; como não estava de chapéu, eu me abanava com o lenço. O empregado da agência funerária disse-me, então, qualquer coisa que não ouvi. Ao mesmo tempo que, com a mão esquerda, limpava a testa com um lenço, com a mão direita levantava a pala do boné.

— Como? — perguntei.

— Está forte — repetiu ele apontando para o céu.

— Sim — concordei.

— É sua mãe que está ali? — perguntou-me, pouco depois.

— Sim — tornei a dizer.

— Era muito velha?

— Assim, assim — respondi, porque não sabia ao certo quantos anos tinha. Em seguida, calou-se.

Voltei-me e vi o velho Pérez a uns cinquenta metros atrás de nós. Apressava-se, brandindo o chapéu de feltro com o movimento do braço. Olhei também para o diretor. Andava com muita dignidade, sem gestos inúteis. Algumas gotas de suor formavam-se na sua testa, mas não as enxugava.

Parecia-me que o cortejo ia um pouco mais depressa. À minha volta era sempre a mesma paisagem luminosa, plena de sol. O brilho do céu era insuportável. Em dado momento passamos por uma parte de estrada que fora refeita havia pouco. O sol derretera o asfalto. Os pés enterravam-se nele, deixando aberta sua polpa luzidia. Por cima do carro o chapéu do cocheiro, de couro curtido, parecia ter sido moldado nesta lama negra. Eu estava um pouco perdido entre o céu azul e branco e a monotonia destas cores, negro pegajoso do asfalto aberto, negro desbotado das roupas, negro laca do carro. Tudo isto, o sol, o cheiro de couro e de esterco do carro, o do verniz e do incenso, o cansaço de uma noite de insônia, me perturbava o olhar e as ideias. Voltei-me uma vez mais: Pérez pareceu-me muito distante, perdido numa bruma de calor, e depois não o distingui mais. Procurei-o com o olhar e vi que abandonara a estrada e entrara pelo campo. Constatei também que, na minha frente, a estrada fazia uma curva. Compreendi que Pérez, conhecedor da região, cortava caminho para nos alcançar. Na curva, conseguira juntar-se a nós. Em seguida, nós o perdemos. Tomou ainda várias vezes atalhos através do campo. Quanto a mim, sentia o sangue latejar nas têmporas.

Tudo se passou, então, com tanta rapidez, certeza e naturalidade que já não me lembro mais de nada. Uma coisa apenas: na entrada da aldeia a enfermeira falou comigo. Tinha uma voz especial, que não combinava com seu rosto, uma voz melodiosa e trêmula.

— Se andarmos devagar — disse ela — arriscamo-nos a uma insolação. Mas se andarmos depressa demais transpiramos e, na igreja, apanhamos um resfriado.

Tinha razão. Não havia saída. Conservei, ainda, algumas imagens deste dia: por exemplo, o rosto de Pérez quando, pela última vez, juntou-se a nós próximo da aldeia. Grandes lágrimas de abatimento e de dor corriam-lhe pela face. Mas, por causa das rugas, não fluíam. Espalhavam-se, juntavam-se e formavam um espelho d'água naquele rosto destruído. Houve ainda a igreja e os aldeões nas calçadas, os gerânios vermelhos sobre os túmulos do cemitério, o desmaio de Pérez (dir-se-ia uma marionete desconjuntada), a terra cor de sangue que deslizava sobre o caixão de mamãe, a carne branca das raízes que nela se misturavam, mais gente ainda, vozes, a aldeia, a espera diante de um café, o ronco incessante do motor e a minha alegria quando o ônibus entrou no ninho de luzes de Argel, e eu pensei que me ia deitar e dormir durante doze horas.

2

Ao acordar compreendi por que meu patrão se mostrara aborrecido quando lhe pedi meus dois dias de licença: hoje é sábado. Tinha, por assim dizer, esquecido, mas ao levantar-me, essa ideia me ocorreu. Meu patrão muito naturalmente pensou que eu disporia, assim, de quatro dias de folga, contando com o domingo, e isso não lhe podia agradar. Mas, por um lado, não é culpa minha se enterraram mamãe ontem em vez de hoje e, por outro lado, teria tido de qualquer maneira o sábado e o domingo livres. Isto não me impede, é claro, de compreender o meu patrão.

Custei a levantar-me, pois estava cansado do dia de ontem. Enquanto fazia a barba, perguntei-me o que iria fazer e decidi tomar um banho de mar. Peguei um bonde para ir ao centro de lazer do porto. Uma vez lá, mergulhei no canal. Havia muitos jovens. Na água encontrei Marie Cardona, uma antiga datilógrafa do escritório que eu desejara na época. Ela também, creio eu. Mas foi embora pouco depois, e não tivemos tempo. Ajudei-a a subir numa boia e, neste movimento, rocei os seus seios. Eu estava ainda na água quando ela já se deitara na boia, de bruços. Virou-se para mim. Os cabelos caíam-lhe nos olhos e sorria. Ergui-me até ficar ao seu lado. O tempo estava bom e, de brincadeira, deixei cair a cabeça para trás e encostei-a na sua barriga. Não reclamou, e eu fiquei assim. Tinha o céu inteiro nos olhos, e ele estava azul e dourado. Debaixo da nuca sentia o corpo de Marie palpitar suavemente. Ficamos muito tempo na boia, meio adormecidos. Quando o sol ficou forte demais, ela mergulhou, e eu a segui. Alcancei-a, passei o braço em volta da sua cintura e nadamos juntos. Ela continuava a rir. No cais, enquanto nos secávamos, me disse:

— Estou mais morena do que você.

Perguntei-lhe se queria ir ao cinema à noite. Riu de novo e disse que estava com vontade de ver um filme de Fernandel. Depois de nos vestirmos, ficou muito surpresa de me ver com uma gravata preta, e perguntou-me se estava de luto. Disse-lhe que mamãe tinha morrido. Como quisesse saber há quanto tempo, respondi:

— Morreu ontem.

Hesitou um pouco, mas não fez nenhum comentário. Tive vontade de dizer-lhe que a culpa não era minha, mas detive-me porque me pareceu já ter dito a mesma coisa ao meu patrão. Isto nada queria dizer. De qualquer modo, a gente sempre se sente um pouco culpado.

À noite, Marie esquecera tudo. O filme tinha momentos engraçados e outros realmente idiotas. A sua perna estava encostada na minha. Acariciava-lhe os seios. No fim da sessão, eu a beijei, mas mal. Ao sair, veio para minha casa.

Quando acordei, Marie tinha ido embora. Explicara-me que precisava ir visitar uma tia. Lembrei-me de que era domingo, e isso me irritou: não gosto dos domingos. Então, virei-me na cama, busquei no travesseiro o cheiro de sal que os cabelos de Marie tinham deixado e dormi até as dez horas. Fumei depois alguns cigarros sem me levantar, até o meio-dia. Não queria, como de costume, almoçar no Céleste, porque, com certeza, me fariam perguntas, e não gosto disso. Cozinhei uns ovos e comi-os assim mesmo, sem pão, porque não havia mais e porque não queria descer para comprar.

Depois do almoço, fiquei um pouco entediado e vaguei pelo apartamento. Quando mamãe estava lá, era cômodo. Agora, é grande demais para mim, e tive que transportar a mesa da sala de jantar para o quarto. Vivo apenas neste quarto, entre cadeiras de palha um pouco afundadas, o armário, cujo espelho está amarelecido, a cômoda e a cama de latão. O resto está abandonado. Mais tarde, para fazer alguma coisa, peguei um velho jornal para ler. Recortei um anúncio de sais de Kruschen e colei-o num velho caderno, onde guardo as coisas curiosas dos jornais. Lavei também as mãos e, por fim, fui para a varanda.

Meu quarto dá para a rua principal do bairro. A tarde estava bonita. No entanto, a rua parecia oleosa, as pessoas espalhadas aqui e ali, e, mais, tinham pressa. Primeiro, eram as famílias que passeavam, dois meninos de roupa de marinheiro, calças abaixo do joelho, um tanto sem jeito nos seus trajes engomados, uma menina com um grande laço cor-de-rosa e sapatos de verniz preto. Atrás deles, uma mãe enorme, com um vestido de seda marrom, e o pai, um homenzinho bastante franzino, que conheço de vista. Usava um chapéu de palha, uma gravata-borboleta e uma bengala na mão. Ao vê-lo com a mulher, entendi por que se dizia no bairro que ele era uma pessoa distinta. Um pouco mais tarde, passaram os rapazes do bairro, de cabelos esticados, gravata vermelha, o paletó muito cintado com um bolsinho bordado e sapatos de bico quadrado. Pensei que iam aos cinemas no centro. Por isso é que partiam tão cedo, rindo tanto e correndo para o bonde.

Depois deles, pouco a pouco, a rua ficou deserta. Acho que os espetáculos tinham começado em todos os lugares. Só se viam na rua os comerciantes e os gatos. O céu estava puro mas sem brilho por cima dos fícus ao longo da rua. Na calçada em frente, o dono da tabacaria pegou uma cadeira, instalou-a diante da porta e sentou-se a cavalo, apoiando-se com os dois braços no encosto. Os bondes, há pouco cheios, estavam quase vazios. No pequeno Café Chez Pierrot, ao lado da tabacaria, o empregado varria a serragem na sala deserta. Era realmente domingo.

Virei minha cadeira e coloquei-a como a do dono da tabacaria porque achei que assim era mais cômodo. Fumei dois cigarros, entrei para buscar um pedaço de chocolate e voltei para comê-lo à janela. Pouco depois, o céu escureceu e achei que íamos ter uma tempestade de verão. Pouco a pouco, no entanto, o céu se foi desanuviando. Mas a passagem das nuvens deixara sobre a rua uma promessa de chuva que a tornou mais sombria. Fiquei muito tempo olhando para o céu.

Às cinco horas os bondes chegaram ruidosamente. Traziam do estádio de subúrbio espectadores em pencas, pendurados nos estribos e nos balaústres. Os bondes seguintes trouxeram de volta os jogadores, que reconheci pelas suas maletas. Gritavam e cantavam, aos berros, que seu clube não sucumbiria. Muitos me fizeram sinais. Um deles chegou mesmo a me gritar: "Acabamos com eles." Sacudindo a cabeça, fiz que "sim". A partir deste momento os automóveis começaram a afluir.

O dia mudou ainda um pouco. Por cima dos telhados o céu tornou-se avermelhado, e com o cair da noite as ruas se animaram. Os que tinham saído a passeio foram voltando pouco a pouco. Reconheci o senhor distinto no meio dos outros. As crianças choravam ou se deixavam arrastar. Quase imediatamente, os cinemas do bairro despejaram na rua uma onda de espectadores. Entre eles, os rapazes tinham gestos mais decididos do que de costume, e calculei que haviam visto um filme de aventuras. Os que regressavam dos cinemas do centro chegaram um pouco mais tarde. Pareciam mais sérios. Ainda riam, mas de vez em quando pareciam cansados e pensativos. Ficaram pela rua, andando de um lado para o outro na calçada em frente. As mocinhas do bairro, de cabelos soltos, andavam de braços dados. Os rapazes deram um jeito de passar por elas e dirigiam-lhes piadas, das quais elas riam, desviando o olhar. Várias delas, que eu conhecia, acenaram para mim.

As luzes da rua acenderam-se bruscamente e fizeram empalidecer as primeiras estrelas que subiam na noite. Senti os olhos se cansarem de tanto olhar as calçadas com sua carga de homens e de luzes. Estas faziam reluzir a rua molhada, e os bondes, a intervalos regulares, lançavam os seus reflexos sobre cabelos brilhantes, um sorriso ou uma pulseira de prata. Pouco depois, com os bondes escasseando e a noite já negra por sobre as árvores e os postes, o bairro esvaziou-se aos poucos, até o primeiro gato atravessar lentamente a rua outra vez deserta. Pensei, então, que era preciso jantar. Sentia um pouco de dor no pescoço por ter ficado tanto tempo apoiado no encosto da cadeira. Desci para comprar pão e massas, cozinhei e comi de pé. Quis fumar um cigarro na janela, mas o tempo tinha refrescado e senti um pouco de frio. Fechei as janelas, e ao voltar, vi no espelho um canto da mesa com a lamparina de álcool entre pedaços de pão. Pensei que passara mais um domingo, que mamãe agora já estava enterrada, que ia retomar o trabalho e que, afinal, nada mudara.

3

Hoje, trabalhei muito no escritório. O patrão foi amável. Perguntou se eu não estava muito cansado e quis também saber a idade de mamãe. Para não incorrer em erro, respondi "Uns 60 anos" e, não sei por que, ficou com um ar de alívio, parecendo achar que se tratava de um assunto encerrado.

Havia uma pilha de documentos que se amontoava na minha mesa e tive de despachar todos. Antes de deixar o escritório para almoçar, lavei as mãos. Ao meio-dia, isso me dá prazer. À tarde, nem tanto, porque a toalha que utilizamos está toda molhada: era usada durante todo o dia. Certa vez, fiz uma observação a esse respeito ao patrão. Respondeu-me que achava isso lamentável, mas que se tratava, ainda assim, de um detalhe sem importância. Saí um pouco tarde, ao meio-dia e meia, com Emmanuel, que trabalha na expedição. O escritório dá para o mar, e perdemos alguns instantes olhando os cargueiros, no porto ardente de sol. Nesse momento, chegou um caminhão com uma barulheira de correntes e de explosões. Emmanuel perguntou-me "Vamos?", e comecei a correr. O caminhão ultrapassou-nos e lançamo-nos no seu encalço. Estava afogado em poeira e ruído. Não via mais nada, e só sentia o impulso desordenado da corrida, entre guindastes e máquinas, mastros que dançavam no horizonte e pequenas embarcações, pelas quais passávamos. Fui o primeiro a agarrá-lo, e atirei-me para dentro. Depois, ajudei Emmanuel a sentar-se. Estávamos ofegantes, o caminhão sacudia sobre os paralelepípedos desnivelados do cais, em meio à poeira e ao sol. Emmanuel ria de perder o fôlego.

Chegamos ao restaurante do Céleste banhados de suor. Lá estava ele, como sempre, com a grande barriga, o avental e os bigodes brancos. Perguntou-me se, "apesar de tudo", eu estava bem. Disse-lhe que sim e que estava com fome. Comi muito depressa e tomei um café. Depois, voltei para casa, dormi um pouco porque bebera vinho demais e, ao acordar, senti vontade de fumar. Estava atrasado, corri para pegar um bonde. Trabalhei a tarde toda. Fazia muito calor no escritório e, à noitinha, ao sair, senti-me feliz por voltar, caminhando lentamente ao longo do cais. O céu estava verde e eu me sentia contente. Apesar disso, fui diretamente para casa, pois queria preparar umas batatas cozidas para mim.

Ao subir, esbarrei na escada escura com o velho Salamano, meu vizinho de andar. Estava com o seu cachorro. Há oito anos que são sempre vistos juntos. O cocker spaniel tem uma doença de pele, acho que é sarna, que lhe fez perder quase todo o pelo e que o cobre de placas e de crostas marrons. De tanto conviverem juntos os dois, num pequeno quarto, o velho Salamano acabou ficando parecido com o cão. Tem crostas avermelhadas no rosto e o cabelo amarelo e ralo. Quanto ao cão, esse assimilou do dono uma espécie de aspecto encurvado, o focinho para a frente e o pescoço esticado. Parecem ser da mesma raça e, no entanto, detestam-se. Duas vezes por dia, às onze e às seis horas, o velho leva o seu cão para passear. Há oito anos que não mudam de itinerário. Eles podem ser vistos ao longo da rue de Lyon, o cão puxando pelo homem até o velho Salamano tropeçar. Então, ele bate no cachorro e o xinga. O cão rasteja de medo e se deixa arrastar. Nesse momento, é a vez de o velho puxar. Quando o cão se esquece, torna a arrastar o dono, e é outra vez surrado e xingado. Ficam, então, os dois na calçada, e se olham: o cão, com terror, o homem, com ódio. É assim todos os dias. Quando o cão quer urinar, o velho não lhe dá tempo e o puxa, e o cocker spaniel vai deixando atrás de si um rastro de pequenas gotas. Se, por acaso, o cão faz no quarto, também apanha. Isso já dura oito anos. Céleste diz sempre que "É uma desgraça", mas, no fundo, ninguém pode saber. Quando eu o encontrei na escada, Salamano estava xingando o cão. Ele lhe dizia: "Imundo! Nojento!" e o cão gania. Eu disse "Bom dia", mas o velho continuava a xingar. Então eu perguntei o que o cão tinha feito. Ele não me respondeu. Ele dizia apenas: "Imundo! Nojento!" Eu o distinguia, curvado sobre o animal, arrumando alguma coisa na coleira. Falei mais alto. Então, sem se virar, respondeu-me, com uma espécie de raiva contida:

— É, ele não me larga. — Depois, foi embora, puxando o animal que se deixava arrastar e gania.

Neste preciso instante chegou o outro vizinho de andar. No bairro, dizem que vive à custa de mulheres. Mas quando lhe perguntam pela sua profissão responde que é "comerciante". Em geral, não gostam dele. Mas fala frequentemente comigo e, às vezes, passa alguns momentos em minha casa, porque eu o escuto. Acho que o que ele diz é interessante. Aliás, não tenho nenhum motivo para não lhe falar. Chama-se Raymond Sintès. É bem baixo, com ombros largos e um nariz de pugilista. Anda sempre muito corretamente vestido. Ele também me disse ao falar de Salamano: "Não é mesmo uma desgraça?" Perguntou-me se aquilo não me revoltava, respondi que não.

Subimos, e eu ia deixá-lo quando me disse:

— Tenho lá em casa vinho e linguiça. Quer comer comigo?

Pensei que isso me pouparia fazer minha comida e aceitei. Ele também só tem um quarto, com uma cozinha sem janela. Por cima da cama há um anjo de gesso, branco e cor-de-rosa, retratos de campeões e duas ou três fotografias de mulheres nuas. O quarto estava sujo e a cama desfeita. Primeiro, acendeu a lamparina a óleo, depois tirou do bolso uma atadura de aspecto bastante duvidoso, enrolando nela a mão direita. Perguntei-lhe o que tinha na mão. Respondeu-me que brigara com um sujeito que criou um caso com ele.

— Não sei se entende, Sr. Meursault — disse-me. — Não que eu seja mau, o que sou é nervoso. O sujeito me desafiou: "Desça do bonde se for homem." Respondi-lhe: "Vamos, sossegue." Ele me disse que eu não era homem. Então desci e disse-lhe: "Chega, é melhor parar ou vou lhe dar uma lição." "Que lição?" Então, dei-lhe uma. Caiu. Eu ia ajudá-lo a se levantar. Mas, do chão, ele me dava pontapés. Então, dei-lhe uma joelhada e duas cutiladas. Seu rosto sangrava. Perguntei-lhe se bastava. Disse que sim.

Enquanto isso, Sintès ia enrolando a atadura. Eu estava sentado na cama.

— Como vê, não fui eu que provoquei — continuou. — Ele é que quis.

Reconheci que era verdade. Declarou-me então que, justamente, queria pedir-me um conselho a propósito deste assunto, que eu, sim, era um homem que conhecia a vida, que podia ajudá-lo e que em seguida ficaria meu amigo. Não disse nada e ele me perguntou de novo se eu queria ser amigo dele. Respondi que tanto fazia; ele ficou com um ar satisfeito. Pegou a linguiça, fritou-a na frigideira e arrumou copos, pratos, talheres e duas garrafas de vinho. Tudo isto em silêncio. Depois, nos instalamos. Enquanto comia, começou a contar-me a sua história. A princípio, hesitava um pouco.

— Conheci uma mulher... era minha... amante, por assim dizer...

O homem com quem brigara era irmão dessa mulher. Disse-me que a sustentara. Nada comentei, mas ele acrescentou imediatamente que sabia muito bem o que se dizia pelo bairro, mas que tinha a consciência tranquila, e que era comerciante.

— Voltando à minha história — disse ele —, a certa altura percebi que havia uma jogada. — Ele lhe dava dinheiro contado para viver. Pagava ele mesmo o aluguel do quarto e dava-lhe vinte francos por dia para a comida. — Trezentos francos de quarto, seiscentos francos de comida, um par de meias de vez em quando, dava bem uns mil francos. E a madame não trabalhava. Mas dizia-me que era apertado, que o que eu lhe dava não era suficiente. E, no entanto, eu lhe dizia: "Por que não arranja um trabalho de meio expediente? Já me aliviaria bastante. Este mês comprei para você um conjunto, dou vinte francos por dia, pago o aluguel... e você passa as tardes tomando café com as amigas. E ainda fornece o café e o açúcar. E eu... sou eu que dou o dinheiro. Agi bem com você e você não me paga na mesma moeda." Mas ela não trabalhava, dizia sempre que não conseguia, e foi assim que percebi que havia uma jogada.

Contou-me, então, que encontrara dentro de sua bolsa um bilhete de loteria e que ela não lhe soubera explicar como se arranjara para comprá-lo. Mais tarde, encontrara em sua casa um recibo de penhor, provando que empenhara duas pulseiras. Até então, desconhecia a existência dessas pulseiras.

— Vi logo que se tratava de alguma trapalhada. Então a deixei. Mas, primeiro, dei-lhe uma surra. E, depois, disse-lhe umas verdades. Disse-lhe que ela só queria se divertir. Disse a ela, compreende, Sr. Meursault: "Não vê que todos têm inveja da felicidade que lhe dou! Um dia, ainda vai reconhecer a felicidade que tinha."

Espancara-a até sangrar. Antes disso, não batia nela.

— Ou, por outra, batia, mas ternamente, por assim dizer. Ela gritava um pouco. Eu fechava as janelas e tudo terminava como sempre. Mas agora é sério. E, a meu ver, não a castiguei bastante.

Explicou-me, então, que era por isso que precisava de um conselho. Parou para regular o pavio do lampião. Eu continuava a ouvi-lo. Bebera quase um litro de vinho e sentia muito calor nas têmporas. Como os meus haviam acabado, fumava os cigarros de Raymond. Passavam os últimos bondes, levando com eles os ruídos agora longínquos do bairro. Raymond prosseguiu. O que o aborrecia era ainda sentir fisicamente necessidade dela. Mas queria castigá-la. Primeiro, pensara em levá-la para um hotel e chamar a delegacia de costumes para provocar um escândalo e ela ser registrada como profissional. Depois, dirigira-se a uns amigos que tinha no submundo. Estes não tinham tido nenhuma ideia. E, como me salientava Raymond, valia realmente a pena pertencer ao submundo. Dissera-lhes isso mesmo e eles lhe tinham, então, proposto "marcá-la". Mas não era ainda o que ele queria. Precisava pensar. Mas, primeiro, queria perguntar-me uma coisa. Aliás, antes de perguntar, queria saber o que eu pensava desta história toda. Respondi que não pensava nada, mas que a achava interessante. Perguntou-me se eu achava que havia tapeação nisso tudo. Parecia-me claro que sim; se achava que ela deveria ser castigada, e o que faria, se estivesse no seu lugar. Disse-lhe que nunca se podia saber, mas compreendia que ele a quisesse castigar. Bebi ainda um pouco de vinho. Ele acendeu um cigarro e me revelou sua ideia. Queria escrever-lhe uma carta "com pontapés e, ao mesmo tempo, com coisas para fazê-la se arrepender". Depois, quando ela voltasse, levá-la-ia para a cama como fazia habitualmente e, "justo no momento de acabar", cuspiria na sua cara e a poria para fora. Achei que dessa maneira ela estaria castigada. Mas Raymond me disse que não se sentia capaz de escrever a carta necessária e que pensara em mim para redigi-la. Como eu nada dissesse, perguntou-me se me importava de fazê-lo agora mesmo. Respondi que não.

Então, depois de beber um copo de vinho, Raymond levantou-se. Afastou os pratos e o pouco de linguiça fria que tínhamos deixado. Limpou cuidadosamente o encerado da mesa. Tirou de uma gaveta da mesa de cabeceira uma folha de papel quadriculado, um envelope amarelo, uma pequena pena de madeira vermelha e um tinteiro quadrado de tinta roxa. Quando me disse o nome da mulher, vi que era moura. Escrevi a carta. Redigia um pouco sem pensar, mas esforcei-me o mais possível para contentar Raymond, pois não tinha razão nenhuma para não contentá-lo. Depois, li a carta em voz alta. Escutou-me, fumando e balançando a cabeça, e em seguida pediu-me que a relesse. Ficou inteiramente satisfeito.

— Já sabia que você conhecia a vida — disse-me ele.

Não me dei conta a princípio de que me tratava de você. Só me chamou a atenção quando me declarou:

— Agora você é um verdadeiro amigo.

Repetiu a frase e eu disse:

— Está bem.

Tanto fazia ser ou não amigo dele, e ele parecia realmente ter vontade disso. Lacrou a carta e acabamos o vinho. Depois ficamos um instante fumando, sem dizer nada. Lá fora tudo estava calmo, ouvimos o deslizar de um carro que passava.

— É tarde — comentei.

Raymond também achava que sim. Observou que o tempo passava depressa, e, em certo sentido, era verdade. Estava com sono, mas tinha dificuldade de me levantar. Devia estar com um ar cansado, porque Raymond me disse que eu não devia me entregar. A princípio, não compreendi. Explicou-me, então, que soubera da morte de minha mãe, mas que era uma coisa que, mais dia, menos dia, tinha de acontecer. Essa era também a minha opinião.

Levantei-me, Raymond deu-me um forte aperto de mão dizendo-me que entre homens a gente sempre se entende. Ao sair da casa dele fechei a porta e fiquei um momento no corredor escuro. A casa estava calma, e das profundezas da escadaria subia um sopro úmido e obscuro. Ouvia apenas o sangue zumbindo nos ouvidos. Fiquei imóvel. Mas no quarto do velho Salamano o cão gemeu surdamente.

4

Trabalhei muito durante toda a semana. Raymond veio visitar-me e disse que enviara a carta. Fui duas vezes ao cinema com Emmanuel, que nem sempre compreende o que se passa na tela. É preciso, então, dar-lhe explicações. Ontem foi sábado e, como havíamos combinado, encontrei-me com Marie. Desejei-a intensamente porque usava um belo vestido de listras vermelhas e brancas e sandálias de couro. Adivinhavam-se seus seios firmes e o queimado do sol lhe dava um aspecto de flor. Pegamos um ônibus e fomos para uma praia, a alguns quilômetros de Argel, espremida entre rochedos e margeada de canas. O sol das quatro horas não estava quente demais, mas a água estava morna, com pequenas ondas longas e preguiçosas. Marie ensinou-me uma brincadeira. Ao nadar era preciso beber na crista das ondas, acumular toda a espuma na boca e, em seguida, virar de costas para projetá-la contra o céu. Isto produzia uma espécie de renda espumante, que desaparecia no ar ou, como uma chuva morna, me caía no rosto.

Mas depois de algum tempo sentia o ardor do sal queimar a boca. Marie chegou perto, então, e colou-se a mim na água. Colocou a boca contra a minha. A língua dela refrescava-me os lábios, e rolamos por instantes nas ondas.

Quando nos vestimos na praia, Marie olhava-me com olhos brilhantes. Beijei-a. A partir desse momento, não falamos mais. Apertei-a contra mim e tivemos pressa de encontrar um ônibus, de voltar, de ir para a minha casa e de nos atirarmos na minha cama. Tinha deixado a janela aberta e era bom sentir a noite de verão escorrer por nossos corpos bronzeados.

Esta manhã Marie ficou comigo e eu lhe disse que almoçaríamos juntos. Desci para comprar carne. Na volta, ao subir, ouvi uma voz de mulher no quarto de Raymond. Pouco depois, o velho Salamano ralhou com o cão, ouvimos um barulho de solas e de patas nos degraus de madeira da escada e, depois, "Imundo, nojento". Saíram para a rua. Contei a Marie a história do velho e ela riu. Estava com um dos meus pijamas, do qual arregaçara as mangas. Quando riu, voltei a sentir desejo por ela. Instantes depois perguntou-me se eu a amava. Respondi-lhe que isto não queria dizer nada, mas que me parecia que não. Ficou com o ar triste. Mas ao preparar o almoço e a propósito de nada voltou a rir, de tal forma que eu a beijei. Foi nesse momento que repercutiram os ruídos de uma discussão na casa de Raymond.

Ouviu-se, primeiro, uma voz estridente de mulher e, depois, Raymond que dizia "Você me enganou, você me enganou. Vou ensiná-la a me enganar". Uns ruídos surdos e a mulher berrou, mas de maneira tão horrível que o corredor se encheu logo de gente. Marie e eu também saímos. A mulher continuava a gritar e Raymond não parava de bater. Marie disse-me que era terrível, e eu nada respondi. Pediu-me que fosse chamar um guarda, mas respondi-lhe que não gostava de guardas. No entanto, chegou um com o inquilino do segundo andar, que é bombeiro. Ele bateu à porta e não se ouviu mais nada. Bateu com mais força e, alguns instantes depois, a mulher chorou, e Raymond abriu. Tinha um cigarro na boca e um ar sonso. A moça precipitou-se para a porta e declarou ao guarda que Raymond a espancara.

— Seu nome — perguntou o policial.

Raymond respondeu.

— Tire o cigarro da boca quando falar comigo — ordenou o guarda.

Raymond hesitou, olhou para mim e deu uma tragada no cigarro. Neste momento, o guarda deu-lhe uma bofetada com toda a força, em plena cara, com um estalo surdo e pesado. O cigarro caiu alguns metros adiante. Raymond mudou de expressão, mas nada disse na hora, até perguntar com uma voz humilde se podia apanhar o cigarro. O guarda declarou que sim e acrescentou:

— Mas fique sabendo, da próxima vez, que um policial não é um palhaço.

Enquanto isso, a moça chorava e repetia:

— Ele me bateu. É um cafetão.

— Senhor guarda — perguntou, então, Raymond —, está na lei isso de chamar um homem de cafetão?

Mas o guarda mandou que calasse o bico. Raymond voltou-se para a mulher e disse:

— Não perde por esperar, pequena.

O guarda ordenou-lhe que calasse a boca, que a moça devia ir embora e que ele ficasse no quarto até ser chamado à delegacia.

Acrescentou que Raymond devia ter vergonha de estar bêbado a ponto de tremer daquele jeito.

— Não estou bêbado, senhor guarda. Mas é só que, diante do senhor, não posso deixar de tremer. — Fechou a porta e todos foram embora.

Marie e eu acabamos de preparar nosso almoço. Mas como ela não estava com fome, comi quase tudo. Saiu à uma hora, e eu dormi um pouco.

Por volta das três horas bateram à porta, e Raymond entrou. Continuei deitado. Sentou-se na borda da cama. Ficou uns instantes sem falar e eu lhe perguntei o que acontecera. Contou-me que tinha feito o que queria, mas que ela lhe dera uma bofetada e que ele, então, começara a espancá-la. Quanto ao resto, eu mesmo o presenciara. Disse-lhe parecer-me que agora ela fora castigada e que ele devia estar contente. Era também a opinião dele, e observou que, por mais que o guarda fizesse, não mudaria as pancadas que ela recebera. Acrescentou que conhecia bem os guardas e sabia perfeitamente como se deve lidar com eles. Perguntou-me, então, se eu esperava que ele reagisse à bofetada do guarda. Respondi-lhe que não esperava absolutamente nada e que, aliás, não gostava de guardas. Raymond pareceu ficar muito contente. Perguntou-me se queria sair com ele. Levantei-me e comecei a me pentear. Disse que era preciso que eu servisse de testemunha. A mim tanto fazia, mas não sabia o que devia dizer. Segundo Raymond, bastava declarar que a mulher o enganara. Aceitei servir de testemunha.

Saímos e Raymond ofereceu-me um trago. Depois, quis jogar uma partida de bilhar, e perdi por pouco. A seguir, queria ir ao bordel, mas eu disse que não, porque não gosto disso. Então voltamos lentamente, e ele me dizia quanto se sentia contente por ter conseguido castigar a amante. Achei-o muito simpático comigo e pensei que aquele era um momento agradável.

De longe, distingui na soleira da porta o velho Salamano, com um ar agitado. Quando nos aproximamos, reparei que não estava com o cão. Olhava para todos os lados, dava voltas em torno de si mesmo, tentava penetrar com os olhos na escuridão do corredor, resmungava palavras sem nexo e recomeçava a observar a rua com os seus olhinhos avermelhados. Quando Raymond lhe perguntou o que havia, não respondeu logo. Ouvi vagamente que ele murmurava: "Imundo, nojento" e continuava a se agitar. Perguntei-lhe onde estava o cão. Respondeu-me bruscamente que fora embora. E depois, de repente, falou de novo, rápido:

— Levei-o como de costume ao Campo de Manobras. À volta das barracas da feira havia muita gente. Parei para olhar o Rei da Fuga. E quando quis ir embora, ele já não estava mais lá. Há muito tempo que eu queria comprar uma coleira menor. Mas nunca pensei que esse cão nojento fosse embora assim.

Raymond explicou-lhe, então, que o cão possivelmente se perdera e que voltaria. Citou-lhe vários exemplos de cães que tinham percorrido dezenas de quilômetros para encontrar o dono. Apesar disso, o velho ficou ainda mais agitado.

— Vão tomá-lo de mim, compreende. Pelo menos se alguém o recolhesse... Mas não! Com aquelas feridas enoja todo mundo. A carrocinha vai apanhá-lo, tenho certeza.

Eu lhe disse então que se dirigisse ao depósito de cães e que ele o devolveria, mediante o pagamento de alguma taxa. Perguntou-me se era muito caro. Eu não sabia. Então, irritou-se:

— Dar dinheiro por aquele cão nojento! Ah, ele que se dane! — E pôs-se a xingá-lo.

Raymond riu e entrou na casa. Segui-o. Despedimo-nos no corredor. Pouco depois, ouvi os passos do velho e ele bateu à porta. Quando abri, ficou uns momentos na entrada.

— Desculpe, desculpe — disse-me ele.

Convidei-o a entrar, mas ele não quis. Olhava para as pontas dos sapatos e as mãos cheias de crostas tremiam. Sem me encarar, me perguntou:

— Não vão tirá-lo de mim, não é, Sr. Meursault? Vão devolvê-lo, não vão? Senão, o que vai ser de mim?

Expliquei-lhe que os cães ficavam durante três dias no depósito, à disposição dos donos, e que depois disso faziam deles o que bem entendiam. Olhou para mim em silêncio. Depois, disse:

— Boa noite.

Fechou a porta e eu o ouvi andar de um lado para o outro. A cama dele rangeu. E pelo estranho barulho que atravessou a parede, compreendi que estava chorando. Não sei por que, pensei na minha mãe. Mas no dia seguinte precisava levantar-me cedo. Não tinha fome e deitei-me sem jantar.

5

Raymond telefonou para meu escritório. Disse-me que um de seus amigos (a quem falara de mim) me convidava para passar o domingo numa casa de praia que tinha perto de Argel. Respondi que gostaria muito, mas que já combinara passar o domingo com uma amiga. Raymond declarou imediatamente que também a convidava. A mulher do amigo ficaria muito contente por não ser a única no meio de um grupo de homens.

Quis desligar imediatamente, pois sei que o patrão não gosta que nos telefonem da cidade. Mas Raymond pediu-me que esperasse, e disse que poderia ter transmitido o convite à noite, mas queria avisar-me de outra coisa. Fora seguido durante todo o dia por um grupo de árabes, entre os quais estava o irmão de sua ex-amante.

— Se você os vir esta noite perto de casa, quando voltar, me avise.

Respondi que estava combinado.

Pouco depois o patrão mandou chamar-me e, no momento, fiquei aborrecido porque pensei que ia dizer para telefonar menos e trabalhar mais. Não era nada disso. Declarou que ia falar-me de um projeto ainda muito vago. Queria apenas saber a minha opinião sobre o assunto. Pretendia instalar um escritório em Paris, para tratar de seus negócios, diretamente com as grandes companhias, e perguntou-me se eu estava disposto a ir para lá. Isto me permitiria viver em Paris e viajar durante parte do ano.

— Você é novo e acho que essa vida lhe agradaria.

Disse que sim, mas que no fundo tanto fazia. Perguntou-me, depois, se eu não estava interessado em uma mudança de vida. Respondi que nunca se muda de vida; que, em todo caso, todas se equivaliam, e que a minha aqui não me desagradava em absoluto. Mostrou-se descontente, ponderando que eu respondia sempre à margem das questões, que não tinha ambição e que isto era desastroso nos negócios. Voltei então para o meu trabalho. Teria preferido não o aborrecer, mas não via razão alguma para mudar minha vida. Pensando bem, não era infeliz. Quando era estudante, tinha muitas ambições desse gênero. Mas quando tive de abandonar os estudos compreendi muito depressa que essas coisas não tinham real importância.

À noite, Marie veio buscar-me e perguntou se eu queria casar-me com ela. Disse que tanto fazia, mas que se ela queria, poderíamos nos casar. Quis, então, saber se eu a amava. Respondi, como aliás já respondera uma vez, que isso nada queria dizer, mas que não a amava.

— Nesse caso, por que se casar comigo? — perguntou ela.

Expliquei que isso não tinha importância alguma e que, se ela o desejava, nós poderíamos casar. Era ela, aliás, quem o perguntava, e eu me contentava em dizer que sim. Observou, então, que o casamento era uma coisa séria.

— Não — respondi.

Ela se calou durante alguns instantes, olhando-me em silêncio. Depois, falou. Queria simplesmente saber se, partindo de outra mulher com a qual tivesse o mesmo relacionamento, eu teria aceitado a mesma proposta.

— Naturalmente — respondi.

Perguntou então a si própria se me amava, mas eu nada podia saber sobre isso. Depois de outro instante de silêncio murmurou que eu era uma pessoa estranha, que me amava certamente por isso mesmo, mas que talvez um dia, pelos mesmos motivos, eu a decepcionaria. Como ficasse calado, nada tendo a acrescentar, tomou-me o braço, sorrindo, e declarou que queria casar-se comigo. Respondi que sim, que o faríamos assim que ela quisesse. Falei-lhe, então, sobre a proposta do patrão, e Marie disse que gostaria de conhecer Paris. Contei-lhe que vivera lá durante algum tempo, e ela me perguntou como era.

— É uma cidade suja. Há pombos e pátios escuros. As pessoas têm a pele branca.

Depois, andamos e atravessamos a cidade pelas ruas principais. As mulheres eram bonitas e perguntei a Marie se ela também reparara. Respondeu que sim e que me compreendia. Durante algum tempo não falamos mais. Queria, no entanto, que ela ficasse comigo, e disse-lhe que poderíamos jantar juntos no Céleste. Ela gostaria muito, mas tinha o que fazer. Estávamos perto da minha casa e eu lhe disse até logo. Ela olhou para mim:

— Não quer saber o que tenho que fazer?

Eu queria muito saber, mas não tinha pensado nisso, e era o que ela parecia me censurar. Então, diante do meu ar embaraçado, voltou a rir e, para me oferecer a boca, juntou seu corpo ao meu.

Jantei no Céleste. Já tinha começado a comer quando entrou uma mulherzinha esquisita que me perguntou se podia sentar-se à minha mesa. É claro que podia. Fazia gestos bruscos e tinha olhos brilhantes, num pequeno rosto de maçã. Tirou o casaco, sentou-se e consultou febrilmente o cardápio. Chamou Céleste e imediatamente fez todos os seus pedidos, com uma voz ao mesmo tempo precisa e acelerada. Enquanto esperava a entrada, abriu a bolsa, tirou um pequeno pedaço de papel e um lápis, fez a conta adiantada e depois tirou da carteira, acrescida da gorjeta, a quantia exata, que colocou diante de si. Nesse momento trouxeram-lhe a entrada, que devorou a toda velocidade. Enquanto esperava o prato seguinte, tirou da bolsa um lápis azul e uma revista que dava os programas radiofônicos da semana. Com o maior cuidado assinalou uma a uma quase todas as transmissões. Como a revista tinha umas doze páginas, continuou meticulosamente este trabalho durante toda a refeição. Eu já havia acabado de comer e ela ainda assinalava com a mesma aplicação. Depois levantou-se, vestiu o casaco com os mesmos gestos precisos de autômato e foi embora. Como nada tinha que fazer, também saí, e segui-a durante uns momentos. Colocara-se à beira da calçada, e com uma segurança e uma rapidez incríveis, seguia o seu caminho sem se desviar e sem se voltar. Acabei por perdê-la de vista, e resolvi voltar. Achei que ela era estranha, mas esqueci-a logo.

À porta de casa encontrei o velho Salamano. Convidei-o a entrar e ele me informou que o cão se perdera, pois não estava no depósito. Os empregados haviam dito que talvez tivesse sido atropelado. Perguntara se não era possível sabê-lo nas delegacias de polícia. Tinham-lhe respondido que não tomavam nota de coisas como essas, pois aconteciam todos os dias. Disse ao velho Salamano que poderia arranjar outro cão, mas ele me respondeu, com toda a razão, que estava habituado àquele.

Eu estava sentado na cama e Salamano numa cadeira diante da mesa. Estava de frente para mim e tinha as mãos sobre os joelhos. Conservava o velho chapéu na cabeça. Sob o bigode amarelecido mastigava pedaços de frases. Ele me entediava um pouco, mas eu não tinha nada que fazer, e não estava com sono. Para dizer alguma coisa, fiz-lhe perguntas sobre o cão. Disse-me que o recebera depois da morte da mulher. Casara-se bastante tarde. Na juventude, tivera vontade de fazer teatro: na tropa, representara em vários espetáculos militares. Mas acabara entrando para a rede ferroviária e não se arrependia, pois agora recebia uma pequena aposentadoria. Não fora feliz com a mulher, mas, no todo, habituara-se a ela. Quando ela morreu, sentira-se muito só. Pedira, então, a um colega de escritório que lhe desse um cão, e fora-lhe oferecido aquele, ainda muito novo. Tivera de alimentá-lo com mamadeira. Mas como o cão vive menos do que o homem, tinham acabado por envelhecer juntos.

— Tinha mau gênio — disse Salamano. — De vez em quando, brigávamos. Mas, apesar disso, era um bom cão.

Quando lhe falei que o cão era de boa raça, Salamano ficou com um ar contente.

— E, olhe — acrescentou —, não o conheceu antes da doença. O pelo era o que tinha de mais bonito.

Todas as noites e todas as manhãs, desde que o cão pegara aquela doença de pele, Salamano passava pomada nele. Mas em sua opinião a sua verdadeira doença era a velhice, e esta não se cura.

Nesse momento, bocejei, e o velho anunciou que ia embora. Observei-lhe que podia ficar e que eu estava aborrecido com o que acontecera ao cão. Agradeceu-me. Disse-me que mamãe gostava muito do cão. Ao falar dela, chamava-a de "sua pobre mãe". Emitiu a opinião de que eu devia sentir-me muito infeliz desde que a minha mãe morrera, e eu nada respondi. Acrescentou, então, muito depressa e com um ar sem jeito, que no bairro me tinham criticado por tê-la mandado para o asilo, mas ele me conhecia e sabia que eu gostava muito de mamãe. Respondi, não sei ainda por que, que ignorava até o momento que me julgassem um mau filho por causa disso, mas que o asilo me parecera uma coisa natural, pois não tinha recursos para mantê-la comigo.

— Além disso — acrescentei —, havia muito tempo que ela não tinha assunto algum para conversar comigo, e se entediava sozinha.

— Sim — concordou ele —, e no asilo pelo menos arranjam-se amigos.

Depois despediu-se. Queria dormir. Sua vida agora mudara completamente, e não sabia muito bem o que ia fazer. Pela primeira vez desde que o conhecia estendeu-me a mão, num gesto furtivo, e eu senti as escamas da pele. Sorriu um pouco, e antes de sair, disse:

— Espero que os cães não ladrem esta noite. Acho sempre que é o meu.

6

No domingo tive dificuldade em acordar, e foi preciso que Marie me chamasse e me sacudisse. Não comemos, porque queríamos tomar banho de mar bem cedo. Sentia-me completamente vazio e estava com um pouco de dor de cabeça. Meu cigarro tinha um gosto amargo. Marie fez troça de mim porque dizia que eu estava com "cara de enterro". Pusera um vestido de algodão branco e soltara os cabelos. Disse-lhe que estava bonita e ela riu de contentamento.

Ao descer, batemos à porta de Raymond. Respondeu-nos que já vinha. Na rua, por causa do meu cansaço e também porque não tínhamos aberto as persianas, o dia, já cheio de sol, atingiu-me como uma bofetada. Marie saltava de alegria e não parava de repetir que o tempo estava bom. Senti-me melhor e percebi que estava com fome. Disse isso a Marie, que me mostrou a sua bolsa de lona, onde pusera as nossas roupas de banho e uma toalha. Nada havia a fazer senão esperar, e ouvimos Raymond fechar a porta. Estava de calça azul e camisa branca de mangas curtas. Mas pusera um chapéu de palha, o que fez Marie rir, e sob os pelos negros os antebraços estavam muito brancos. Isto me causava certa aversão. Ao descer, assobiava e parecia muito contente.

— Olá, meu velho! — disse-me e chamou Marie de "senhorita".

Na véspera, tínhamos ido à delegacia e eu testemunhei que a mulher o "enganara". Foi liberado com uma advertência. Não verificaram a minha informação. Diante da porta, comentamos isso com Raymond e, depois, decidimos tomar o ônibus. A praia não era muito longe, mas, assim, iríamos mais depressa. Raymond achava que o amigo ficaria contente de nos ver chegar cedo. Íamos partir quando Raymond, de súbito, me fez sinal para olhar em frente. Vi um grupo de árabes encostados na vitrina de uma tabacaria. Olhavam-nos em silêncio, mas à maneira deles, como se fôssemos pedras ou árvores mortas. Raymond disse-me que o sujeito era o segundo a contar da esquerda, e ficou com uma expressão preocupada. Acrescentou, no entanto, que agora era um caso encerrado. Marie não compreendia muito bem e nos perguntou o que se passava. Expliquei-lhe que eram uns árabes que tinham raiva de Raymond. Marie quis que fôssemos embora logo. Raymond endireitou-se e riu, concordando em que era preciso nos apressarmos.

Fomos para o ponto de ônibus, que ficava um pouco mais longe, e Raymond me anunciou que os árabes não nos haviam seguido. Voltei-me. Continuavam no mesmo lugar e olhavam com a mesma indiferença para o local que acabávamos de deixar. Tomamos o ônibus. Raymond, que parecia totalmente aliviado, não parava de brincar com Marie. Senti que ela lhe agradava, mas vi que Marie quase não lhe respondia. De vez em quando, ela olhava para ele e ria.

Descemos num subúrbio de Argel. A praia não fica longe do ponto de ônibus. Mas foi preciso atravessar um pequeno planalto que domina o mar e descer, em seguida, para a praia. Estava coberto de pedras amareladas e de abróteas todas brancas, em contraste com o azul duro do céu. Marie divertia-se espalhando as pétalas das flores, batendo nelas com a bolsa de praia. Caminhamos entre fileiras de pequenas casas de praia com cercas verdes ou brancas, algumas com as suas varandas escondidas por arbustos e, outras, nuas, no meio das pedras. Antes de chegar à beira do planalto já se podia ver o mar imóvel e, mais adiante, uma faixa de terra, maciça e sonolenta na água clara. Chegou até nós, no ar calmo, um ligeiro ruído de motor. Vimos, muito longe, uma pequena traineira que imperceptivelmente avançava no mar brilhante. Marie colheu alguns cristais de rocha. Da encosta que descia para o mar vimos que já havia alguns banhistas na praia.

O amigo de Raymond morava numa casa de madeira no fim da praia. A casa ficava encostada nos rochedos e as colunas que a sustentavam à frente mergulhavam já na água. Raymond nos apresentou. Seu amigo chamava-se Masson. Era um sujeito alto, de tronco e ombros maciços, com uma mulher pequena, gorda e simpática, de sotaque parisiense. Disse imediatamente que ficássemos à vontade e que havia uma fritada com os peixes que ele pescara nesta mesma manhã. Disse-lhe que achava a casa muito bonita. Informou-me que vinha passar ali o sábado, o domingo e todos os feriados.

— Com a minha mulher; nós nos damos bem — acrescentou.

Por sinal, ela ria com Marie. Pela primeira vez, talvez, pensei realmente que ia me casar.

Masson queria cair no mar, mas a mulher e Raymond não queriam ir. Descemos os três e Marie atirou-se logo na água. Masson e eu esperamos um pouco. Ele falava devagar e notei que tinha o hábito de completar tudo quanto dizia por "e digo mais", mesmo quando, no fundo, nada acrescentava ao sentido da frase. A propósito de Marie, disse:

— É fantástica, e digo mais, encantadora.

Depois, deixei de prestar atenção a este cacoete pois estava ocupado em sentir que o sol me fazia bem. A areia começava a esquentar sob os pés. Retardei mais um pouco a vontade que tinha de ir para a água, mas acabei dizendo a Masson:

— Vamos?

Mergulhei. Ele entrou lentamente na água e mergulhou quando perdeu pé. Nadava de peito e bastante mal, de modo que o deixei para alcançar Marie. A água estava fria e era bom nadar. Afastei-me com Marie e nos sentíamos um só nos nossos gestos e no contentamento.

Ao largo, começamos a boiar, e no meu rosto voltado para o céu o sol afastava os últimos véus de água que me corriam pela boca. Vimos que Masson regressara à praia para estender-se ao sol. De longe, parecia enorme. Marie quis que nadássemos juntos. Coloquei-me atrás dela para segurá-la pela cintura e ela avançava com a força dos braços, enquanto eu a ajudava batendo os pés. O pequeno ruído da água batida seguiu-nos ao longo da manhã, até que me senti cansado. Então, deixei Marie e voltei para a praia, nadando compassadamente e respirando fundo. Na praia, estendi-me de barriga para baixo perto de Masson e enfiei o rosto na areia. Disse-lhe que "era bom", e ele tinha a mesma opinião. Depois, Marie chegou. Virei-me para vê-la. Estava toda viscosa de água salgada e segurava os cabelos para trás. Estendeu-se encostada a mim e os dois calores, o do seu corpo e o do sol, fizeram-me adormecer um pouco.

Marie sacudiu-me e disse que Masson já subira para casa, estava na hora do almoço. Levantei-me imediatamente porque tinha fome, mas Marie reclamou que não a beijara desde a manhã. Era verdade e, no entanto, eu estava com vontade de beijá-la.

— Venha para a água — disse ela.

Corremos e nos atiramos nas primeiras ondas. Demos algumas braçadas e ela colou-se a mim. Senti suas pernas em volta das minhas e desejei-a.

Quando voltamos, Masson já nos chamava. Falou que estava com muita fome e declarou logo à mulher que me achava agradável. O pão estava bom, devorei a minha porção de peixe. Depois, havia carne e batatas fritas. Comíamos todos sem falar. Masson bebia muito vinho e me servia sem parar. Na hora do café, tinha a cabeça um pouco pesada e fumei muito. Masson, Raymond e eu consideramos a hipótese de passar o mês de agosto na praia, dividindo as despesas. Marie nos perguntou, de repente:

— Sabem que horas são? São onze e meia.

Ficamos todos admirados, mas Masson comentou que tínhamos comido muito cedo, o que era natural, pois hora de almoço é a hora em que se sente fome. Não sei por que isto fez Marie rir tanto. Acho que bebera demais. Masson perguntou-me, então, se queria ir dar um passeio pela praia com ele.

— Minha mulher faz sempre uma sesta depois do almoço. Eu não gosto. Preciso andar. Digo-lhe sempre que é melhor para a saúde. Mas, afinal, é um direito seu.

Marie declarou que ficaria para ajudar a Sra. Masson a lavar a louça. A pequena parisiense disse que para isso era preciso pôr os homens para fora. Descemos os três.

O sol caía quase a pino sobre a areia e o seu brilho no mar era insustentável. Já não havia ninguém na praia. Nas casas ao longo do planalto, suspensas sobre o mar, ouvia-se o barulho de pratos e talheres. Respirava-se com dificuldade no calor de pedra que subia do chão. Para começar, Raymond e Masson falaram de coisas e pessoas que eu não conhecia. Compreendi que se conheciam havia muito tempo e que em determinada época tinham até morado juntos. Dirigimo-nos para a água e caminhamos pela beira do mar. Às vezes, uma onda mais forte vinha molhar nossos sapatos de lona. Não pensava em nada, porque estava meio adormecido por este sol na minha cabeça descoberta.

Nesse momento, Raymond disse a Masson alguma coisa que não consegui ouvir muito bem. Mas percebi, ao mesmo tempo, no fim da praia e muito longe de nós, dois árabes de macacões azuis, que vinham na nossa direção. Olhei para Raymond e ele me disse:

— É ele.

Continuamos a andar. Masson perguntou como é que eles tinham conseguido nos seguir até aqui. Pensei que nos deviam ter visto ao tomar o ônibus com uma bolsa de praia, mas nada respondi.

Os árabes avançavam lentamente e já estavam muito mais perto. Não mudamos nosso passo, mas Raymond disse:

— Se houver briga, você, Masson, fica com o segundo. Eu me encarrego do meu sujeito. Você, Meursault, se vier outro, é seu.

— Está bem — respondi, e Masson botou as mãos nos bolsos.

A areia superaquecida me parecia agora vermelha. Avançávamos no mesmo ritmo em direção aos árabes. A distância entre nós foi diminuindo regularmente. Quando estávamos apenas a alguns passos uns dos outros, os árabes se detiveram. Masson e eu começamos a andar mais devagar. Raymond foi direto ao seu sujeito. Não ouvi muito bem o que lhe disse, mas o outro fez menção de lhe dar uma cabeçada. Raymond deu, então, o primeiro soco, e logo a seguir chamou Masson. Este dirigiu-se ao que lhe fora destinado e aplicou-lhe dois socos com toda a força. O árabe estatelou-se no mar, o rosto dentro d'água, e ficou assim alguns segundos; à volta da cabeça, na superfície, rebentavam bolhas de ar. Enquanto isso, Raymond continuou a bater, e o outro estava com o rosto coberto de sangue. Raymond voltou-se para mim e disse:

— Vai ver como ele vai apanhar!

— Cuidado — gritei-lhe —, ele está com uma faca. — Mas Raymond já estava com o braço ferido e um talho na boca.

Masson deu um salto para a frente. Mas o outro árabe tinha se levantado e se colocara atrás do que estava armado. Não ousamos nos mexer. Eles recuaram lentamente, sem deixar de nos olhar e de nos ameaçar com a faca. Quando viram que a distância era suficiente, fugiram muito rapidamente enquanto nós ficávamos ali pregados, ao sol, e Raymond comprimia o braço do qual escorria sangue.

Masson disse imediatamente que havia um médico que passava os domingos no pequeno planalto. Raymond quis ir logo para lá. Mas cada vez que falava o sangue da ferida fazia bolhas na boca. Nós o amparamos, e voltamos para casa o mais depressa possível. Lá, Raymond disse que suas feridas eram superficiais e que podia ir até a casa do médico. Saiu com Masson e eu fiquei para explicar às mulheres o que havia acontecido. A Sra. Masson chorava e Marie estava muito pálida. Para mim, era desagradável ter de lhes explicar. Por fim, calei-me e fiquei fumando, olhando para o mar.

Por volta da uma e meia Raymond voltou com Masson.

Ele tinha o braço enfaixado e um esparadrapo no canto da boca. O médico lhe afirmara que não era nada, mas ele estava com um ar muito sombrio. Masson tentou fazê-lo rir. Mas Raymond continuava sem falar. Quando disse que ia descer até a praia, perguntei-lhe aonde ia. Masson e eu dissemos que o acompanharíamos. Então, irritou-se e nos insultou. Masson declarou que não devíamos contrariá-lo. Apesar disso, eu o segui.

Andamos muito tempo pela praia. O sol estava agora esmagador. Ele se desfazia em pedaços sobre a areia e sobre o mar. Tive a impressão de que Raymond sabia aonde ia, mas talvez estivesse enganado. Lá no fim da praia chegamos finalmente a uma pequena fonte que brotava na areia, por trás de um grande rochedo. Ali, encontramos nossos dois árabes. Estavam deitados, com os seus macacões gordurosos. Estavam com a expressão totalmente calma e quase contente. Nossa chegada nada alterou. O que atingira Raymond olhava-o sem dizer uma palavra. O outro soprava uma flauta de cana e repetia sem parar, olhando-nos de lado, as três notas que obtinha do instrumento.

Durante todo este tempo só havia o sol e este silêncio, com o leve ruído da nascente e das três notas. Depois Raymond levou a mão ao bolso de trás, mas o outro não se moveu, e eles continuavam a se olhar. Reparei que o que tocava flauta tinha os dedos dos pés muito separados. Mas sem tirar os olhos do adversário Raymond me perguntou:

— Acabo com ele?

Pensei que se respondesse não ficaria excitado por si próprio e dispararia, com certeza. Disse unicamente:

— Ele ainda nada disse. Disparar assim seria um golpe baixo.

Ouvíamos ainda o leve ruído de água e de flauta no coração do silêncio e do calor.

— Então vou xingá-lo, e quando ele responder eu o mato — replicou Raymond.

— Isso mesmo. Mas se ele não puxar a faca, você não pode atirar — ponderei.

Raymond começou a enervar-se um pouco. O outro continuava a tocar e os dois observavam cada gesto de Raymond.

— Não — disse eu a Raymond. — Pegue-o, de homem para homem, e dê-me o revólver. Se o outro se meter ou se puxar a faca, eu o mato.

Quando Raymond me deu o revólver, o sol refletiu nele. No entanto, ficamos imóveis, como se tudo se houvesse fechado à nossa volta. Olhávamo-nos sem baixar os olhos e tudo aqui se detinha entre o mar, a areia, o sol, o duplo silêncio da flauta e da água. Pensei neste instante que se podia atirar ou não atirar. Mas, bruscamente, os árabes começaram a recuar e deslizaram por trás do rochedo. Raymond e eu voltamos, então. Ele parecia estar melhor e falou sobre o ônibus de volta.

Acompanhei-o até a casa da praia, e enquanto subia a escada de madeira fiquei no primeiro degrau, a cabeça latejando por causa do sol, desanimado diante do esforço que era preciso fazer para subir as escadas de madeira e voltar a enfrentar as mulheres. Mas o calor era tanto que me era igualmente penoso ficar assim imóvel, sob a chuva ofuscante que caía do céu. Ficar aqui ou partir dava na mesma. Ao fim de alguns instantes voltei para a praia e comecei a caminhar.

Era o mesmo brilho vermelho. Na areia, o mar ofegava com toda a respiração rápida e sufocada de suas pequenas ondas. Eu caminhava lentamente para os rochedos e sentia a testa inchar sob o sol. Todo este calor me apertava, opondo-se a meus passos. E cada vez que sentia o seu grande sopro quente no meu rosto, trincava os dentes, fechava os punhos nos bolsos das calças, retesava-me todo para triunfar sobre o sol e essa embriaguez opaca que ele despejava sobre mim. A cada espada de luz que jorrava da areia, de uma concha esbranquiçada ou de um caco de vidro, meus maxilares se crispavam. Andei durante muito tempo.

Via de longe a pequena massa sombria do rochedo envolto em uma auréola ofuscante pela luz e pela névoa do mar. Pensava na nascente fresca atrás do rochedo. Tinha vontade de reencontrar o murmúrio de sua água, vontade de fugir do sol, do esforço e do choro de mulher, enfim, vontade de reencontrar a sombra e seu repouso. Mas quando cheguei mais perto, vi que o árabe de Raymond tinha voltado.

Estava só. Descansava de costas, as mãos debaixo da nuca, a cabeça nas sombras do rochedo, todo o corpo ao sol. Seu macacão azul fumegava ao calor. Fiquei um pouco surpreso. Para mim, era um caso encerrado, e viera para cá sem pensar nisso.

Logo que me viu, ergueu-se um pouco e meteu a mão no bolso. Eu, naturalmente, agarrei o revólver de Raymond dentro do paletó. Então, o árabe deixou-se cair outra vez para trás, mas sem tirar a mão do bolso. Eu estava bastante longe dele, a uns dez metros de distância. Adivinhava-lhe por instantes o olhar, entre as pálpebras semicerradas. Mas na maior parte do tempo sua imagem dançava diante de meus olhos, no ar inflamado. O barulho das vagas era ainda mais preguiçoso, mais estagnado do que ao meio-dia. Eram o mesmo sol e a mesma luz, sobre a mesma areia, que se prolongavam até aqui. Havia já duas horas que o dia não progredia, duas horas que lançara âncora num oceano de metal fervilhante. No horizonte, passou um pequeno vapor, percebi sua mancha negra com o canto do olho, pois não deixara de fitar o árabe.

Pensei que bastava dar meia-volta e tudo estaria acabado. Mas atrás de mim comprimia-se toda uma praia vibrante de sol. Dei alguns passos em direção à nascente. O árabe não se mexeu. Apesar disso, estava ainda bastante longe. Parecia sorrir, talvez por causa das sombras sobre o seu rosto. Esperei. O queimar do sol ganhava-me as faces e senti gotas de suor se acumularem nas minhas sobrancelhas. Era o mesmo sol do dia em que enterrara mamãe e, como então, doía-me sobretudo a testa, e todas as suas veias batiam juntas debaixo da pele. Por causa deste queimar, que já não conseguia suportar, fiz um movimento para a frente. Sabia que era estupidez, que não me livraria do sol se desse um passo. Mas dei um passo, um só passo à frente. E desta vez, sem se levantar, o árabe tirou a faca, que ele me exibiu ao sol. A luz brilhou no aço e era como se uma longa lâmina fulgurante me atingisse na testa. No mesmo momento, o suor acumulado nas sobrancelhas correu de repente pelas pálpebras, recobrindo-as com um véu morno e espesso. Meus olhos ficaram cegos por trás desta cortina de lágrimas e de sal. Sentia apenas os címbalos do sol na testa e, de modo difuso, a lâmina brilhante da faca sempre diante de mim. Esta espada incandescente corroía as pestanas e penetrava meus olhos doloridos. Foi então que tudo vacilou. O mar trouxe um sopro espesso e ardente. Pareceu-me que o céu se abria em toda a sua extensão, deixando chover fogo. Todo o meu ser se retesou e crispei a mão sobre o revólver. O gatilho cedeu, toquei o ventre polido da coronha e foi aí, no barulho ao mesmo tempo seco e ensurdecedor, que tudo começou. Sacudi o suor e o sol. Compreendi que destruíra o equilíbrio do dia, o silêncio excepcional de uma praia onde havia sido feliz. Então atirei quatro vezes ainda num corpo inerte em que as balas se enterravam sem que se desse por isso. E era como se desse quatro batidas secas na porta da desgraça.

Parte II

1

Logo depois da minha prisão fui interrogado várias vezes. Mas tratava-se de interrogatórios de identificação, que não duraram muito tempo. A primeira vez, na delegacia, o meu caso parecia não interessar a ninguém. Oito dias depois, ao contrário, o juiz de instrução olhou-me com curiosidade. Mas, para começar, perguntou-me apenas nome e endereço, profissão, data e local do nascimento. Depois quis saber se eu já escolhera um advogado. Admiti que não e perguntei-lhe se era absolutamente necessário ter um advogado.

— Por quê? — perguntou ele.

Respondi que achava o meu caso muito simples. Sorriu, ao dizer:

— É uma opinião. No entanto, a lei existe. Se o senhor não escolher um advogado, nomearemos um defensor público.

Achei que era muito cômodo a justiça encarregar-se desses pormenores. Disse-lhe isto. Concordou comigo e concluiu que a lei era bem-feita.

No começo, não o levei a sério. Recebeu-me numa sala guarnecida de cortinas, tinha em cima da mesa um único lampião, que iluminava a poltrona na qual me fez sentar, enquanto ele mesmo ficava na sombra. Já tinha lido descrições semelhantes em livros e tudo isto me pareceu um jogo. Depois da nossa conversa, pelo contrário, olhei-o e vi um homem de traços finos, profundos olhos azuis, muito alto, com um comprido bigode grisalho e uma abundante cabeleira quase branca. Pareceu-me uma pessoa muito sensata e, afinal, simpática, apesar dos tiques nervosos que lhe repuxavam a boca. Ao sair, ia até estender-lhe a mão, mas lembrei-me a tempo de que matara um homem.

No dia seguinte, um advogado veio falar comigo na prisão. Era baixo e gordo, bastante jovem, os cabelos cuidadosamente gomalinados. Apesar do calor (eu estava em mangas de camisa), ele usava um terno escuro, colarinho duro e uma estranha gravata com grandes listras pretas e brancas. Colocou em cima da cama a pasta que trazia debaixo do braço, apresentou-se e disse que estudara o meu processo. Meu caso era delicado, mas, se tivesse confiança nele, não duvidava de seu êxito. Agradeci e ele me disse:

— Vamos ao que é importante.

Sentou-se na cama e explicou-me que tinham investigado a minha vida particular. Constataram que minha mãe morrera recentemente no asilo. Procedera-se, então, a um inquérito em Marengo. Os investigadores tinham descoberto que eu "dera provas de insensibilidade" no dia do enterro de mamãe.

— Veja se compreende — disse o advogado. — Sinto-me um pouco constrangido em perguntar-lhe isto. Mas é muito importante. E será um forte argumento para a acusação, caso eu não consiga encontrar uma resposta.

Queria que eu o ajudasse. Perguntou-me se naquele dia eu sofrera. Esta pergunta me espantou muito e parecia-me que ficaria muito constrangido se tivesse de fazê-la a alguém. Entretanto, respondi que perdera um pouco o hábito de interrogar a mim mesmo e que era difícil dar-lhe uma informação. É claro que amava mamãe, mas isso não queria dizer nada. Todos os seres normais tinham em certas ocasiões desejado, mais ou menos, a morte das pessoas que amavam. Nesse ponto, o advogado me interrompeu e mostrou-se muito agitado. Obrigou-me a prometer que não diria isto no julgamento, nem ao juiz. Expliquei-lhe, no entanto, que o meu temperamento era este — meus impulsos físicos perturbavam com frequência os meus sentimentos. No dia em que enterrara mamãe, estava muito cansado, e com sono. De forma que não me dei muito bem conta do que se passava. O que podia afirmar, com toda a certeza, era que preferia que mamãe não tivesse morrido. Mas o advogado não se mostrou satisfeito.

— Isso não basta — comentou ele.

Refletiu um pouco. Perguntou-me se ele poderia dizer que, no dia, eu controlara os meus sentimentos naturais.

— Não, porque não é verdade — respondi.

Olhou-me de modo estranho, como se eu lhe inspirasse uma certa repulsa. Disse-me, quase maldosamente, que, de qualquer forma, o diretor e os funcionários do asilo seriam ouvidos como testemunhas, o que "poderia me deixar em maus lençóis". Comentei que essa história não tinha nenhuma relação com o meu caso, mas ele me respondeu que era óbvio que eu nunca me envolvera com a justiça.

Foi embora com um ar zangado. Gostaria de tê-lo retido, de explicar-lhe que desejava a sua boa vontade, não para que me defendesse melhor, mas naturalmente, se posso dizer assim. Percebia, sobretudo, que não o deixava à vontade. Não me compreendia e ficava com uma certa raiva de mim. Desejava afirmar-lhe que eu era como todo mundo, exatamente como todo mundo. Mas tudo isso, no fundo, não era de grande utilidade e deixei de lado por preguiça.

Pouco tempo depois fui levado novamente ao juiz de instrução. Eram duas horas da tarde e desta vez o escritório estava cheio de uma luz que a cortina da janela mal conseguia suavizar. Fazia muito calor. Mandou sentar-me e de modo muito gentil declarou que o meu advogado não pudera comparecer devido a um contratempo. Mas eu tinha todo o direito de não responder às suas perguntas e de esperar que meu advogado pudesse me assistir. Eu disse que podia responder sozinho. Apertou um botão que havia na mesa. Um jovem escrivão veio colocar-se quase às minhas costas.

Nós dois nos empertigamos nas nossas poltronas. O interrogatório começou. Disse-me, antes de mais nada, que me pintavam como tendo um caráter taciturno e fechado e quis saber o que pensava a este respeito.

— É que nunca tenho grande coisa a dizer. Então fico calado — respondi.

Sorriu como da primeira vez, reconheceu que era a melhor das razões e acrescentou:

— Aliás, isso não tem importância alguma. — Calou-se, fitou-me e endireitou-se bruscamente para dizer-me com muita rapidez: — O que me interessa é o senhor. — Não compreendi bem o que ele queria dizer com isso e nada respondi. — Há coisas no seu gesto — acrescentou — que fogem à minha compreensão. Estou certo de que me ajudará a entendê-las.

Repliquei que tudo era muito simples. Insistiu para que lhe reconstituísse o que fizera naquele dia. Repeti o que já tinha lhe contado: Raymond, a praia, o banho, a briga, outra vez a praia, a pequena nascente, o sol e os cinco disparos de revólver. A cada frase, ele dizia "Está bem, está bem". Quando cheguei ao corpo estendido na areia, aprovou-me dizendo "Bom". Quanto a mim, estava cansado de repetir sempre a mesma história e tinha a impressão de nunca ter falado tanto.

Depois de um silêncio levantou-se e afirmou que queria me ajudar, que ele se interessava por mim, e que com a ajuda de Deus faria alguma coisa em meu favor. Mas, antes, queria fazer-me mais algumas perguntas. Sem transição, perguntou se eu amava mamãe.

— Sim, como todo mundo — respondi, e o escrivão que até então batia à máquina, em ritmo normal, deve ter-se enganado nas teclas, pois atrapalhou-se e foi obrigado a retroceder.

Ainda sem lógica aparente, o juiz me perguntou então se disparara os cinco tiros seguidos. Refleti e especifiquei que disparara primeiro uma só vez e, alguns segundos depois, dera os outros quatro tiros.

— Por que esperou entre o primeiro e o segundo tiro?

Mais uma vez, revi a praia vermelha e senti o sol queimar-me a testa. Mas desta vez nada respondi. Durante todo o silêncio que se seguiu o juiz pareceu se agitar. Sentou-se, mexeu nos cabelos, pôs os cotovelos na mesa e inclinou-se um pouco na minha direção com uma expressão estranha:

— Por que o senhor atirou num corpo caído?

Também não soube responder. O juiz passou as mãos pela testa e repetiu a pergunta, com a voz um pouco alterada:

— Por quê? É preciso que me diga. Por quê?

Eu continuava calado.

Bruscamente, levantou-se, dirigiu-se com grandes passadas para a extremidade da mesa e abriu a gaveta de um arquivo. Tirou um crucifixo de prata que brandiu na minha direção. E com uma voz completamente alterada, quase trêmula, gritou:

— Será que conhece este aqui?

— Sim, é claro — respondi.

Disse-me, então, muito depressa, e de um modo apaixonado, que ele acreditava em Deus, que tinha convicção de que nenhum homem era tão culpado para que Deus não o perdoasse, mas que para isso era necessário que o homem, pelo seu arrependimento, se transformasse como que numa criança, cuja alma está vazia e pronta a acolher tudo. Todo o seu corpo se debruçava sobre a mesa. Agitava o crucifixo quase em cima de mim. A bem dizer, eu não acompanhara muito bem o seu raciocínio: primeiro, porque estava com calor, e porque havia no escritório grandes moscas, que pousavam no meu rosto, e também porque ele me assustava um pouco. Eu reconhecia, ao mesmo tempo, que era ridículo, pois afinal o criminoso era eu. No entanto, ele continuou. Pelo que compreendi, na sua opinião havia apenas um ponto obscuro na minha confissão, o fato de ter esperado para dar o segundo tiro. Quanto ao resto, estava tudo muito bem, mas isso ele não compreendia.

Ia dizer-lhe que estava errado em obstinar-se: este último ponto não tinha tanta importância assim. Mas ele me interrompeu e exortou-me uma última vez, do alto de sua posição, perguntando-me se acreditava em Deus. Respondi que não. Sentou-se, indignado. Disse-me que era impossível, que todos os homens acreditavam em Deus, mesmo os que lhe viravam o rosto. Essa era a sua convicção, e se algum dia viesse a duvidar dela, a sua vida deixaria de ter sentido.

— O senhor quer — exclamou — que a minha vida não tenha sentido?

Na minha opinião, eu não tinha nada com isso, e foi o que lhe disse. Mas do outro lado da mesa ele já brandia o Cristo sob os meus olhos e gritava de maneira irracional:

— Eu sou cristão. Peço perdão pelos seus pecados a esse aqui. Como pode não acreditar que ele sofreu por você?

Reparei que estava me tratando por você, mas para mim bastava. O calor estava cada vez mais intenso. Como sempre, quando quero livrar-me de alguém que mal estou escutando, demonstrei um ar de aprovação. Para minha surpresa disse, triunfal:

— Viu, viu? Não é verdade que você crê e que vai confiar-se a Ele?

É claro que mais uma vez eu disse não. Deixou-se cair na poltrona.

Tinha um ar muito cansado. Ficou calado por alguns momentos, enquanto a máquina de escrever, que não deixara de seguir o diálogo, prolongava ainda as últimas frases. Em seguida, olhou-me atentamente e com um pouco de tristeza. Murmurou:

— Nunca vi uma alma tão empedernida quanto a sua. Os criminosos que aqui estiveram diante de mim sempre choraram diante desta imagem da dor.

Ia responder que isso acontecia justamente porque se tratava de criminosos. Mas pensei que, afinal, eu também era como eles. Não conseguia habituar-me a esta ideia. O juiz levantou-se, então, como se quisesse me indicar que o interrogatório acabara. Perguntou-me apenas, com o mesmo ar um pouco cansado, se estava arrependido do meu ato. Meditei e disse que, mais do que verdadeiro arrependimento, sentia um certo tédio. Tive a impressão de que não me compreendia. Mas nesse dia as coisas não foram mais adiante.

Depois, tornei a ver o juiz de instrução várias vezes. Só que agora eu estava sempre acompanhado do advogado. Limitavam-se a pedir-me que precisasse certos itens das minhas declarações anteriores. Ou, então, o juiz discutia as acusações com o advogado. Mas na verdade não se ocupavam nunca de mim nessas ocasiões. Pouco a pouco, em todo caso, o tom do interrogatório mudou. Parecia que o juiz já não se interessava por mim e que de algum modo tinha arquivado o meu caso. Não tornou a me falar de Deus e nunca voltei a vê-lo naquela excitação do primeiro dia. O resultado é que as nossas entrevistas se tornaram mais cordiais. Algumas perguntas, um pouco de conversa com o meu advogado e os interrogatórios acabavam. O caso seguia o seu curso, segundo a própria expressão do juiz. Às vezes, quando a conversa era de ordem geral, eles também me deixavam participar. Começava a respirar. Ninguém era mau comigo nesses momentos. Tudo era tão natural, tão bem-organizado e tão sobriamente representado que eu tinha a impressão ridícula de "fazer parte da família". E ao fim dos onze meses que durou a instrução do processo posso dizer que chegava quase a me espantar por ter alguma vez gostado tanto de uma coisa quanto desses raros instantes em que o juiz me conduzia de volta à porta de seu gabinete batendo no meu ombro e dizendo-me, com uma expressão cordial: "Por hoje, acabou, Sr. Anticristo." Entregava-me, então, de volta aos guardas.

2

Há coisas de que jamais gostei de falar. Quando fui para a prisão compreendi, depois de alguns dias, que não gostaria de falar dessa parte da minha vida.

Mais tarde, deixei de atribuir importância a essas repugnâncias. Na realidade, nos primeiros dias não estava verdadeiramente na prisão: esperava vagamente por algum acontecimento novo. Foi apenas depois da primeira e única visita de Marie que tudo começou. A partir do dia em que recebi sua carta (dizia que não a deixavam vir visitar-me porque não era minha mulher), a partir desse dia, senti que estava em casa na minha cela e que a vida parava aí. No dia da minha prisão fecharam-me, primeiro, num quarto onde já havia muitos detidos, árabes em sua maioria. Riram ao ver-me. Depois, perguntaram-me o que havia feito. Disse que tinha matado um árabe e ficaram todos em silêncio. Mas logo depois caiu a noite. Explicaram-me como devia arrumar a esteira onde iria dormir: enrolando uma das extremidades podia-se fazer dela um travesseiro. Durante toda a noite os percevejos corriam-me pelo rosto. Alguns dias depois isolaram-me numa cela onde me deitava num estrado de madeira. Dispunha de uma bacia de ferro e de um vaso. A prisão ficava no alto da cidade e, por uma pequena janela, conseguia ver o mar. Foi num dia em que estava agarrado às grades, com o rosto voltado para a luz, que um guarda entrou dizendo-me que havia uma visita para mim. Pensei que era Marie. E de fato era ela.

Para chegar ao parlatório atravessei um corredor comprido, depois umas escadas e por fim outro corredor. Entrei numa sala muito grande iluminada por uma vasta janela. A sala era dividida em três partes por dois gradeamentos que a cortavam no sentido do comprimento. Entre as duas grades havia um espaço de oito a dez metros, que separava os visitantes dos prisioneiros. Vi Marie diante de mim, com o seu vestido de listras e o rosto bronzeado. Do meu lado havia uma dezena de presos, quase todos árabes. Marie estava cercada de mouros, e entre duas visitantes: uma velhinha de lábios cerrados, vestida de preto, e uma mulher gorda, de cabelo solto, que falava muito alto e com muitos gestos. Devido à distância entre as grades, os visitantes e os presos eram obrigados a falar muito alto. Quando entrei, o barulho das vozes que ecoavam nas grandes paredes nuas da sala, a luz crua que deslizava do céu sobre as vidraças e se refletia na sala, causaram-me uma espécie de vertigem. Minha cela era mais calma e mais escura. Precisei de alguns segundos para me adaptar. Acabei, no entanto, por ver com nitidez cada rosto, destacado no dia claro. Observei que um guarda se mantinha sentado na extremidade do corredor, entre os dois gradeamentos. A maioria dos prisioneiros árabes, assim como as suas famílias, estava de cócoras, frente a frente. Estes não gritavam. Apesar do tumulto conseguiam entender-se falando em voz muito baixa. O seu murmúrio surdo, vindo mais de baixo, formava como que um fundo para as conversas que se entrecruzavam acima das suas cabeças. Observei tudo isto muito depressa, enquanto me encaminhava em direção a Marie. Já colada à grade, sorria-me com todas as forças que tinha. Achei-a muito bonita, mas não soube dizê-lo.

— Então? — disse-me ela, bem alto.

— Então, aqui estou.

— Você está bem, tem tudo de que precisa?

— Sim, tudo.

Calamo-nos e Marie continuava a sorrir. A mulher gorda berrava para o meu vizinho, sem dúvida seu marido, um sujeito alto e louro, de olhar franco. Era o prosseguimento de uma conversa já iniciada.

— Jeanne não quis ficar com ele — gritava ela a plenos pulmões.

— Sim, sim — dizia o homem.

— Disse-lhe que você iria buscá-lo quando saísse, mas ela não quis ficar com ele.

Marie gritou, por sua vez, que Raymond me mandava lembranças.

— Obrigado — falei, mas a minha voz foi abafada pela do meu vizinho, que perguntou "se ele ia bem". A mulher riu, respondendo "que nunca estivera tão bem".

O meu vizinho da esquerda, um rapazinho de mãos finas, nada dizia. Reparei que estava diante da velhinha e que os dois se olhavam intensamente. Mas não tive tempo de observá-los mais longamente, pois Marie me gritou que era preciso ter esperança.

— Sim — concordei.

Ao mesmo tempo, olhava-a e sentia vontade de apertar-lhe o ombro por cima do vestido. Tinha desejo por esse tecido delicado e, fora isso, não sabia muito bem em que havia de ter esperança. Mas era isso, sem dúvida, o que Marie queria dizer, pois continuava a sorrir. Via apenas o brilho dos seus dentes e as pequenas dobras de seus olhos. Voltou a gritar:

— Vai sair depressa e vamos nos casar!

— Você acha? — respondi, mas era sobretudo para dizer alguma coisa.

Ela disse então muito depressa, e sempre em voz muito alta, que sim, que eu seria absolvido e que nós ainda tomaríamos banhos de mar. Mas a outra mulher gritava do seu lado e dizia que deixara um cesto na entrada. Enumerava tudo que colocara no cesto. Era preciso verificar, pois tudo aquilo custava muito caro. O meu outro vizinho e a mãe continuavam a se fitar. O murmúrio dos árabes prosseguia abaixo de nós. Lá fora, a luz parecia inchar de encontro à janela.

Sentia-me um pouco doente e gostaria de sair dali. O barulho me incomodava. Mas, por outro lado, queria aproveitar ainda a presença de Marie. Não sei quanto tempo se passou. Marie falou-me do seu trabalho e sorria sem parar. O murmúrio, os gritos, as conversas se cruzavam. A única ilha de silêncio estava ao meu lado, nesse rapazinho e nessa velha que se olhavam. Pouco a pouco, levaram os árabes. Logo que o primeiro saiu, quase todos se calaram. A velhinha aproximou-se das grades e ao mesmo tempo um guarda fez sinal ao seu filho.

— Até logo, mamãe — despediu-se, e ela passou a mão por entre as grades para lhe fazer um pequeno sinal lento e prolongado.

Ela foi embora enquanto entrava um homem, de chapéu na mão, que lhe tomou o lugar. Introduziram um prisioneiro e eles começaram a falar animadamente, mas a meia-voz, porque a sala voltara a ficar silenciosa. Vieram buscar o meu vizinho da direita e a mulher lhe disse, sem baixar de tom, como se não houvesse notado que não era mais preciso gritar:

— Trate-se bem e tome cuidado.

Depois, chegou a minha vez. Marie atirou-me um beijo de longe. Voltei-me, antes de sair. Estava imóvel. O rosto esmagado contra a grade, com o mesmo sorriso forçado e crispado.

Foi pouco depois que ela me escreveu. E foi a partir desse momento que começaram as coisas de que jamais gostei de falar. De qualquer forma, não vale a pena exagerar, e isto foi mais fácil para mim do que para outros. No início da minha detenção, no entanto, o mais difícil é que tinha pensamentos de homem livre. Por exemplo, desejo de estar numa praia e de descer para o mar. Imaginando o barulho das primeiras ondas sob as solas dos pés, a entrada do corpo na água e a libertação que encontrava nisso: sentia, de repente, até que ponto as paredes da prisão me cercavam. Mas isto durou alguns meses. Depois, só tinha pensamentos de prisioneiro. Aguardava o passeio diário no pátio ou a visita do advogado. O restante do meu tempo eu coordenava muito bem. Nessa época pensei muitas vezes que se me obrigassem a viver dentro de um tronco seco de árvore, sem outra ocupação além de olhar a flor do céu acima da minha cabeça, eu teria me habituado aos poucos. Teria esperado a passagem dos pássaros ou os encontros entre as nuvens tal como esperava aqui as estranhas gravatas do advogado, e, como num outro mundo, esperava até sábado para estreitar nos meus braços o corpo de Marie. Ora, a verdade, afinal, é que eu não estava numa árvore seca. Havia pessoas mais infelizes do que eu. Era, aliás, uma ideia de mamãe, e ela repetia com frequência que acabávamos acostumando-nos a tudo.

Geralmente, eu não ia tão longe. Os primeiros meses foram difíceis. Mas justamente o esforço que fui obrigado a fazer ajudou-me a passá-los. Atormentava-me, por exemplo, o desejo por uma mulher. Era natural, eu era jovem. Nunca pensava especialmente em Marie. Mas pensava tanto numa mulher, nas mulheres, em todas as que tinha conhecido, em todas as circunstâncias em que as amara, que a cela se enchia de todos esses rostos e se povoava com os meus desejos. Isto me desequilibrava, de certo modo. Mas, por outro lado, fazia passar o tempo. Acabara por conquistar a simpatia do guarda que, à hora das refeições, acompanhava o rapaz da cozinha. Foi ele o primeiro a me falar de mulheres. Disse que era a primeira coisa de que os outros se queixavam. Expliquei-lhe que era como os outros e achava injusto este tratamento.

— Mas é precisamente para isso — disse ele — que os prendem.

— Como, para isso!

— Mas, sim, a liberdade é isso mesmo. É ser privado da liberdade.

Nunca pensara nisso. Concordei:

— É verdade. Senão, onde estaria o castigo!

— Sim, vê-se que você compreende as coisas. Os outros, não. Mas acabam consolando-se por si mesmos.

Em seguida, o guarda foi embora.

Houve também o caso dos cigarros. Quando entrei para a prisão, tiraram-me o cinto, os cordões dos sapatos, a gravata e tudo o que trazia nos bolsos, especialmente os cigarros. Uma vez na cela, pedi que me fossem devolvidos. Responderam-me que era proibido. Os primeiros dias foram muito difíceis. Foi talvez isso o que mais me abateu. Chupava pedacinhos de madeira que arrancava das tábuas da cama. Uma náusea permanente acompanhava-me durante o dia inteiro. Não entendia por que me privavam de algo que não fazia mal a ninguém. Mais tarde compreendi que isto também fazia parte do castigo. Mas, a essa altura, já me habituara a não fumar e isso deixara de ser um castigo para mim.

A não ser por estes aborrecimentos, não me sentia muito infeliz. Todo o problema, ainda uma vez, estava em matar o tempo. Acabei por não me entediar mais, a partir do instante em que aprendi a recordar. Punha-me às vezes a pensar no meu quarto, e na imaginação partia de um canto e dava a volta ao quarto, enumerando mentalmente tudo o que encontrava pelo caminho. A princípio, isto durava pouco. Mas a cada vez que recomeçava era um pouco mais longo, pois lembrava-me de cada móvel e, para cada móvel, de cada objeto, de todos os detalhes e, para os próprios detalhes, de uma incrustação, de uma rachadura, de um bordo lascado, da cor que tinham, ou de sua textura. Tentava, ao mesmo tempo, não perder o fio deste inventário e fazer uma enumeração completa. De tal forma que ao fim de algumas semanas conseguia passar horas apenas enumerando o que se encontrava no meu quarto. Assim, quanto mais pensava, mais coisas esquecidas ia tirando da memória. Compreendi, então, que um homem que houvesse vivido um único dia poderia sem dificuldade passar cem anos numa prisão. Teria recordações suficientes para não se entediar. De certo modo, isto era uma vantagem.

Havia também o sono. No começo, dormia mal de noite, e de dia, nunca. Pouco a pouco as noites melhoravam, e consegui também dormir de dia. Posso dizer que nos últimos meses dormia dezesseis a dezoito horas por dia. Restavam-me seis horas para matar com as refeições, as necessidades naturais, minhas recordações e a história do tcheco.

Entre a esteira e o estrado encontrara, com efeito, um velho pedaço de jornal, amarelecido e transparente, quase colado ao tecido. Relatava um acontecimento cujo início faltava, mas que devia ter sucedido na Tchecoslováquia. Um homem partira de uma aldeia tcheca para fazer fortuna. Ao fim de vinte cinco anos, rico, regressara, casado e com um filho. A mãe dele e a irmã tinham um hotel na sua aldeia natal. Para fazer-lhes uma surpresa, deixara a mulher e o filho em outro estabelecimento e fora visitar a mãe, que não o reconheceu quando ele entrou. Por brincadeira, tivera a ideia de se instalar num quarto como hóspede. Mostrara o seu dinheiro. De noite, a mãe e a irmã assassinaram-no a marteladas e atiraram o corpo no rio. Na manhã seguinte, a mulher fora ao hotel, e revelara, sem saber, a identidade do viajante. A mãe se enforcou. A irmã atirou-se num poço. Devo ter lido esta história milhares de vezes. Por um lado, era inverossímil. Por outro lado, era natural. De qualquer forma, achava que o viajante merecera o que aconteceu até certo ponto, e que nunca se deve brincar assim.

Assim, com as horas de sono, as recordações, a leitura da minha ocorrência e a alternância da luz e da sombra, o tempo passou. Tinha lido que na prisão se acaba perdendo a noção do tempo. Mas para mim isto não fazia muito sentido. Não compreendera ainda até que ponto os dias podiam ser, ao mesmo tempo, curtos e longos. Longos para viver, sem dúvida, mas de tal modo distendidos que acabavam por se sobrepor uns aos outros. E nisso perdiam o nome. As palavras ontem ou amanhã eram as únicas que conservavam um sentido para mim.

Quando, um dia, o guarda me disse que eu estava lá havia cinco meses, acreditei, mas não compreendi. Para mim era sempre o mesmo dia que se desenrolava na minha cela, e era sempre a mesma tarefa, que eu perseguia sem cessar. Nesse dia, depois de o guarda ter saído, olhei-me na minha bacia de ferro. Pareceu-me que a minha imagem ficava séria, mesmo quando tentava sorrir para ela. Agitei-a diante de mim. Sorri e ela conservou o mesmo ar severo e triste. O dia acabava e era a hora de que não quero falar, a hora sem nome, em que os ruídos da noite subiam de todos os andares da prisão num cortejo de silêncio. Aproximei-me da janela e, à última luz, contemplei uma vez mais a minha imagem. Continuava séria, e que há de espantoso nisso, se nesse instante eu também estava sério! Mas ao mesmo tempo e pela primeira vez nos últimos meses ouvi distintamente o som da minha voz. Reconhecia-a como a que ressoava há longos dias nos meus ouvidos e compreendi que durante este tempo falara sozinho. Lembrei-me, então, do que dizia a enfermeira no enterro de mamãe. Não, não havia saída, e ninguém pode imaginar o que são as noites nas prisões.

3

No fundo, posso dizer que o verão depressa substituiu o verão. Sabia que com a chegada dos primeiros calores surgiria algo de novo para mim. Meu caso estava inscrito na última sessão do tribunal e esta sessão terminaria com o mês de junho. Os debates iniciaram-se num dia cheio de sol. Meu advogado assegurara-me de que não durariam mais do que dois ou três dias.

— Aliás — acrescentara —, o tribunal terá pressa, porque o seu caso não é o mais importante da sessão. Logo a seguir será julgado um parricida.

Vieram me buscar às sete e meia da manhã, e o carro da polícia levou-me ao Palácio de Justiça. Os dois guardas me fizeram entrar numa sala pequena que cheirava a escuridão. Esperamos, sentados perto de uma porta atrás da qual se ouviam vozes, chamados, barulhos de cadeiras e todo um tumulto, que me fez pensar nessas festas de bairro em que, depois do concerto, arruma-se a sala para poder dançar. Os guardas disseram-me que tínhamos de esperar pelos juízes e um deles me ofereceu um cigarro, que recusei. Perguntou-me pouco depois se estava nervoso. Respondi que não. E em certo sentido chegava a me interessar em assistir a um julgamento. Nunca tivera essa oportunidade em toda a minha vida.

— Sim — disse o segundo guarda —, mas isso acaba cansando.

Pouco tempo depois uma campainha soou na sala. Então tiraram minhas algemas. Abriram a porta e fizeram-me ir para o banco dos réus. A sala estava repleta. Apesar das persianas, o sol infiltrava-se aqui e ali e o ar já estava sufocante. Tinham deixado as vidraças fechadas. Sentei-me e os guardas colocaram-se cada um de um lado. Foi nesse momento que diante de mim distingui uma fila de rostos. Todos me olhavam: compreendi que eram os jurados. Mas não sou capaz de dizer o que os distinguia uns dos outros. Tive apenas uma impressão: eu estava diante do banco de um bonde e todos estes passageiros anônimos espiavam o recém-chegado para lhe observar o ridículo. Sei perfeitamente que era uma ideia tola, pois aqui não era o ridículo que eles procuravam e sim o crime. No entanto, a diferença não é tão grande e, em todo caso, foi a ideia que me ocorreu.

Estava também um pouco atordoado com tanta gente nesse recinto fechado. Voltei a olhar para a sala do tribunal e não consegui distinguir nenhum rosto. Acho até que, no início, não me tinha dado conta de que toda esta gente estava aqui para me ver. Geralmente, ninguém se interessava pela minha pessoa. Foi preciso um esforço para compreender que era eu a causa de toda esta agitação.

— Quanta gente — comentei com o guarda.

Respondeu-me que era por causa dos jornais e mostrou-me um grupo que se mantinha em volta de uma mesa, abaixo do banco dos jurados.

— Ei-los — disse-me ele.

— Quem? — perguntei.

— Os jornais — repetiu.

Conhecia um dos jornalistas que nesse momento o viu e que se dirigiu até nós. Era um homem já de certa idade, simpático, com um certo esgar no rosto. Apertou calorosamente a mão do guarda. Notei nesse instante que todo mundo se encontrava, se interpelava e conversava como num clube em que se fica feliz por estar com pessoas do mesmo ambiente. Foi assim que interpretei a estranha impressão de estar sobrando, um pouco como um intruso. No entanto, o jornalista dirigiu-se a mim sorrindo. Disse que esperava que tudo corresse bem para mim. Agradeci e ele acrescentou:

— Sabe, tivemos de aumentar um pouco o seu caso. O verão é uma época morta para os jornais. As únicas histórias que valiam alguma coisa eram a sua e a do parricida.

Mostrou-me, em seguida, no grupo que acabara de deixar, um homenzinho que parecia um porquinho gordo, com grandes óculos de aros pretos. Disse-me que era o enviado especial de um jornal de Paris:

— Aliás, não veio por sua causa. Mas como está encarregado de fazer uma reportagem sobre o parricida, pediram-lhe que se ocupasse também do seu caso.

Estive quase para lhe agradecer. Mas pensei que seria ridículo. Fez um pequeno gesto cordial com a mão e nos deixou. Esperamos ainda alguns minutos.

Meu advogado chegou de beca, cercado de muitos outros colegas. Dirigiu-se aos jornalistas e apertou várias mãos. Gracejaram, riram e mostravam-se perfeitamente à vontade, até que a campainha soou no recinto. Todos voltaram aos seus lugares. Meu advogado encaminhou-se até mim, apertou-me a mão e aconselhou-me a responder com brevidade às perguntas que me fizessem, a não tomar iniciativas e a deixar o resto com ele.

À minha esquerda ouvi um barulho de uma cadeira arrastada e vi um homem alto e magro, vestido de vermelho, de monóculo, que se sentava dobrando cuidadosamente a toga. Era o promotor. Anunciaram-se os juízes. Ao mesmo tempo, dois grandes ventiladores começaram a zumbir. Três juízes, dois de preto e o terceiro de vermelho, entraram com as pastas do processo e dirigiram-se rapidamente para a tribuna que dominava a sala. O homem da toga vermelha sentou-se na poltrona do meio, colocou o barrete à sua frente, enxugou o pequeno crânio calvo com um lenço e declarou aberta a sessão.

Os jornalistas já tinham as canetas na mão, mostravam todos o mesmo ar indiferente e um pouco malicioso. No entanto, um deles, muito mais jovem, com um terno de flanela cinzenta e uma gravata azul, deixara a caneta em cima da mesa e me encarava. No seu rosto um pouco assimétrico eu só via os olhos, muito claros, que me examinavam atentamente sem nada exprimir de definível. E tive a estranha impressão de estar sendo olhado por mim mesmo. Foi talvez por isso, e também porque não conhecia os costumes dos tribunais, que não compreendi muito bem o que aconteceu depois, o sorteio dos jurados, as perguntas feitas pelo presidente ao advogado, ao promotor e ao júri (a cada vez, todas as cabeças dos membros do júri voltavam-se ao mesmo tempo para os juízes), uma rápida leitura do auto de acusação, em que reconhecia nomes de lugares e de pessoas, e novas perguntas ao meu advogado.

Mas o presidente disse que ia proceder à chamada das testemunhas. O oficial leu nomes que me despertaram a atenção. Do seio deste público há pouco informe vi que se levantavam, um a um, para em seguida desaparecerem por uma porta lateral, o diretor e o porteiro do asilo, o velho Thomas Pérez, Raymond, Masson, Salamano e Marie. Esta me fez um pequeno sinal ansioso. Ainda me surpreendia com o fato de não os ter visto antes, quando a última das testemunhas, Céleste, se levantou. Reconheci, a seu lado, a mulherzinha do restaurante, com o seu casaco e o seu ar preciso e decidido. Ela me olhava com intensidade. Mas não tive tempo de pensar, pois o presidente tomou a palavra. Disse que os verdadeiros debates iam começar e que julgava inútil recomendar calma ao público. Na sua opinião, estava lá para dirigir imparcialmente os debates de um caso que queria considerar com objetividade. A sentença proferida pelo júri seria tomada com espírito de justiça e, se fosse preciso, mandaria evacuar a sala ao menor incidente.

O calor aumentava e vi que na sala os assistentes se abanavam com jornais. Isto provocava um barulho contínuo de papel amassado. O presidente fez um sinal e o oficial trouxe três ventarolas de palha trançada que os três juízes começaram imediatamente a utilizar.

Meu interrogatório começou em seguida. O presidente interrogou-me com calma e até mesmo, pareceu-me, com um toque de cordialidade. Obrigaram-me outra vez a declinar minha identidade e, apesar da minha irritação, pensei que, no fundo, era bastante natural, pois seria muito grave julgar um homem em lugar de outro. Em seguida, o presidente recomeçou o relato do que eu tinha feito dirigindo-se a mim, de três em três frases, para perguntar: "Foi assim mesmo não foi?" A cada vez, respondi "Sim, Sr. Presidente", conforme as instruções do meu advogado. Isto durou muito tempo, pois o presidente relatava a história com todos os pormenores. Durante todo este tempo os jornalistas escreviam. Eu sentia os olhares do mais jovem e da pequena mulher-autômato. O banco do bonde estava, todo ele, voltado para o presidente. Este tossiu, folheou os autos e voltou-se para mim, sem deixar de se abanar.

Disse-me que devia abordar agora questões aparentemente estranhas ao meu caso, mas que talvez o tocassem de muito perto. Compreendi que ele ia falar novamente em mamãe e senti ao mesmo tempo até que ponto isso me entediava. Perguntou-me por que a mandara para o asilo. Respondi que era porque não tinha dinheiro para mantê-la comigo e cuidar dela. Perguntou-me se, pessoalmente, sofrera com o fato, e respondi que nem mamãe nem eu esperávamos mais nada um do outro, nem, aliás, de ninguém, e que nós dois nos havíamos habituado às nossas novas vidas. O presidente disse, então, que não queria insistir neste ponto, e perguntou ao promotor se tinha alguma outra pergunta a fazer.

Este estava quase de costas para mim e, sem me olhar, declarou que, com a autorização do presidente, gostaria de saber se eu voltara sozinho à nascente com a intenção de matar o árabe.

— Não — respondi.

— Então, por que estava ele armado e por que voltar justamente àquele lugar? — Disse-lhe que fora por acaso. E o promotor concluiu, com uma entonação maldosa: — Por ora, é só.

Em seguida, tudo ficou um pouco confuso, pelo menos para mim. Mas depois de alguns conciliábulos o presidente declarou a audiência suspensa e adiada até a tarde para o depoimento das testemunhas.

Não tive tempo para pensar. Levaram-me, mandaram-me entrar no carro da polícia e conduziram-me novamente à prisão, onde almocei. Ao fim de muito pouco tempo, apenas o bastante para que me desse conta de que estava cansado, vieram me buscar. Tudo recomeçou e me vi na mesma sala, diante dos mesmos rostos. Só o calor era muito mais forte, e como por milagre, cada um dos jurados, o promotor, meu advogado e alguns jornalistas estavam também munidos de abanos de palha. O jovem jornalista e a mulherzinha continuavam lá. Mas não se abanavam, e continuavam a fitar-me sem nada dizer.

Enxuguei o suor que me cobria o rosto e só tomei consciência do lugar e de mim mesmo quando ouvi chamar o diretor do asilo. Perguntaram-lhe se mamãe se queixava de mim e ele respondeu que sim, mas que todos os pensionistas tinham um pouco a mania de se queixar da família. O presidente disse-lhe para especificar se ela me censurava por tê-la colocado no asilo e o diretor respondeu novamente que sim. Mas desta vez nada acrescentou. A uma outra pergunta, respondeu que a minha calma no dia do enterro o surpreendera. Perguntaram-lhe o que entendia por "calma". O diretor olhou então para as pontas dos sapatos e disse que eu não quisera ver mamãe, que não chorara uma única vez e que partira logo depois do enterro, sem me recolher junto ao túmulo. Ainda outra coisa o surpreendera: a agência funerária lhe dissera que eu não sabia a idade de mamãe. Houve um momento de silêncio e o presidente perguntou-lhe se o que ele tinha falado era de fato sobre mim. Como o diretor não compreendia a pergunta, o presidente disse: "É a lei." Depois ele perguntou ao promotor se tinha mais alguma pergunta a fazer à testemunha:

— Ah, não, isso basta — exclamou ele com uma tal veemência e um tal olhar de triunfo na minha direção que, pela primeira vez há muitos anos, tive uma vontade tola de chorar, porque senti até que ponto era detestado por toda aquela gente.

Depois de ter perguntado ao júri e ao meu advogado se tinham perguntas a fazer, o presidente ouviu o porteiro. Para este, como para todos os outros, repetiu-se o mesmo cerimonial. Ao chegar, o porteiro olhou-me e depois desviou os olhos. Respondeu às perguntas que lhe dirigiam. Disse que eu não tinha querido ver mamãe, que tinha fumado, que tinha dormido e que tinha tomado café com leite. Senti, então, alguma coisa que agitava toda a sala e compreendi, pela primeira vez, que era culpado. Fizeram o porteiro repetir a história do café com leite e a do cigarro. O promotor olhou-me com brilho irônico nos olhos. Nesse momento, meu advogado perguntou ao porteiro se não tinha fumado comigo. Mas o promotor objetou violentamente contra esta pergunta:

— Quem é o criminoso, e que métodos são estes, que consistem em macular as testemunhas de acusação para minimizar depoimentos que nem por isso continuam menos esmagadores!

Apesar de tudo, o presidente pediu ao porteiro para responder à pergunta. O velho disse com um ar constrangido:

— Bem sei que errei. Mas não ousei recusar o cigarro que ele me ofereceu.

Por último, perguntaram-me se tinha algo a acrescentar.

— Nada — respondi —, a não ser que a testemunha tem razão. É verdade que lhe ofereci um cigarro.

O porteiro olhou-me com um pouco de espanto e uma espécie de gratidão. Hesitou e em seguida disse que fora ele quem me oferecera o café com leite. Meu advogado triunfou ruidosamente e declarou que os jurados saberiam formar a sua opinião. Mas o promotor esbravejou acima de nossas cabeças:

— Sim, os senhores jurados saberão formar a sua opinião. E concluirão que um estranho podia oferecer café, mas que um filho devia recusá-lo diante do corpo daquela que o dera à luz.

O porteiro voltou para o seu banco.

Quando chegou a vez de Thomas Pérez, foi preciso que o amparassem até a tribuna das testemunhas. Pérez disse que conhecera, sobretudo, a minha mãe, e que só me vira uma vez, no dia do enterro. Perguntaram-lhe o que eu fizera nesse dia e ele respondeu:

— Não sei se compreendem, mas eu mesmo estava sofrendo muito. Por isso, nada vi. Era o sofrimento que me impedia de ver. Porque para mim era um enorme sofrimento. Cheguei mesmo a desmaiar. Portanto, não consegui ver este senhor.

O promotor perguntou-lhe se, ao menos, me vira chorar. Pérez respondeu que não. O promotor disse, então, por sua vez:

— Os senhores jurados saberão formar a sua opinião.

Mas o meu advogado irritou-se. Perguntou a Pérez, num tom que me pareceu exagerado, se tinha visto que eu não chorei.

— Não — respondeu Pérez.

O público riu. E o meu advogado, arregaçando uma das mangas, disse, num tom peremptório:

— Eis a imagem deste processo. Tudo é verdade e nada è verdade.

O promotor conservava a fisionomia fechada e espetava com um lápis os papéis que tinha à sua frente.

Após cinco minutos de suspensão, durante os quais meu advogado me disse que tudo corria bem, foi ouvido Céleste, arrolado pela defesa. A defesa era eu. De vez em quando, Céleste lançava uns olhares na minha direção e rodava o chapéu nas mãos. Estava com o terno novo que usava aos domingos quando ia comigo às corridas de cavalos. Mas acho que não conseguira pôr o colarinho, pois apenas um botão de metal mantinha a camisa fechada. Perguntaram-lhe se eu era seu cliente e ele respondeu:

— Sim, mas era também um amigo.

Sobre o que pensava de mim, ele respondeu que eu era um homem; o que queria dizer com isso, e ele declarou que todo mundo sabia o que isso queria dizer; se reparara que eu era fechado, e ele reconheceu apenas que eu não falava por falar. O promotor perguntou-lhe se eu pagava regularmente as minhas despesas. Céleste riu, e declarou:

— Isso é assunto nosso.

Perguntaram-lhe, ainda, o que pensava do meu crime. Pôs então as duas mãos na barra e via-se que preparara alguma coisa. Disse:

— Para mim, é uma desgraça. Uma desgraça todo mundo sabe o que é. Isto deixa qualquer um sem defesa. Pois bem, na minha opinião, é uma desgraça. — Ia continuar, mas o presidente disse que estava bem, e que muito lhe agradecia.

Então Céleste ficou um pouco atrapalhado. Mas declarou que queria falar ainda. Pediram-lhe que fosse breve. Voltou a repetir que era uma desgraça.

— Está bem, já entendemos. Mas nós estamos aqui justamente para julgar as desgraças deste gênero. Muito obrigado — disse o presidente.

Como se tivesse chegado ao fim da sua sabedoria e da sua boa vontade, Céleste voltou-se então para mim. Parecia-me que tinha os olhos brilhantes e os lábios trêmulos. Dava a impressão de querer perguntar-me o que poderia ainda fazer. Quanto a mim, nada disse, não esbocei gesto algum, mas foi a primeira vez na minha vida que tive vontade de beijar um homem. O presidente ordenou-lhe que deixasse a tribuna. Céleste foi sentar-se na sala. Durante todo o resto da audiência ficou lá, um pouco inclinado para a frente, os cotovelos nos joelhos, o chapéu-panamá nas mãos, escutando tudo o que se dizia. Marie entrou. Pusera um chapéu e estava ainda muito bonita. Mas eu gostava mais dela de cabelos soltos. Do lugar onde estava, eu adivinhava o peso leve dos seios e reconhecia o lábio inferior, sempre um pouco inchado. Parecia muito nervosa. Perguntaram-lhe logo há quanto tempo me conhecia. Indicou a época em que trabalhava conosco no escritório. O presidente quis saber quais as suas relações comigo. Disse que era minha amiga. A uma outra pergunta, respondeu que era verdade, que ia se casar comigo. O promotor, que folheava os autos, perguntou-lhe bruscamente quando começara a nossa ligação. Marie citou a data. O promotor observou, com um ar indiferente, que lhe parecia ser o dia seguinte à morte de mamãe. Depois disse com uma certa ironia que não queria insistir numa situação delicada, que compreendia perfeitamente os escrúpulos de Marie (e aqui o tom da sua voz endureceu), mas que o seu dever o obrigava a sobrepor-se às convenções. Pediu-lhe, portanto, para resumir os fatos ocorridos no dia em que a conhecera. Marie não queria falar, mas diante da insistência do promotor contou sobre o nosso banho de mar, a nossa ida ao cinema e a volta para a minha casa. O promotor disse que em decorrência das declarações de Marie durante o sumário consultara a programação dessa data. Acrescentou que a própria Marie dissesse que filme estava passando então. Com uma voz quase apagada, Marie indicou que era um filme de Fernandel. Quando ela acabou, o silêncio na sala era absoluto. O promotor levantou-se então muito sério, e com uma voz que me pareceu autenticamente comovida, com o dedo apontado para mim, articulou lentamente:

— Senhores jurados, no dia seguinte à morte de sua mãe, este homem tomava banho de mar, iniciava um relacionamento irregular e ia rir diante de um filme cômico. Nada mais tenho a lhes dizer.

Sentou-se, ainda no silêncio geral. Mas, de repente, Marie irrompeu em soluços, dizendo que não era nada disso, que a coisa era diferente, que a obrigavam a afirmar o contrário do que pensava, que me conhecia muito bem e que eu nada tinha feito de errado. Mas a um sinal do presidente levaram-na, e a sessão prosseguiu.

Depois disto, mal ouviram Masson declarar que eu era "um homem de bem e, diria mais, uma excelente pessoa". Também mal escutaram Salamano quando recordou que eu fora bom para o seu cão e quando respondeu a uma pergunta sobre a minha mãe e sobre mim dizendo que eu a colocara no asilo porque já não tinha mais nada a dizer-lhe e que a tinha internado no asilo por esta razão.

— É preciso compreender — dizia Salamano —, é preciso compreender.

Mas ninguém parecia compreender. Levaram-no.

Depois, chegou a vez de Raymond, que era a última testemunha. Raymond me fez um pequeno sinal e afirmou logo que eu era inocente. Mas o presidente declarou que não lhe pediam apreciações e sim fatos. Convidou-o a aguardar as perguntas para depois responder. Pediram-lhe que especificasse as suas relações com a vítima. Raymond aproveitou para esclarecer que era a ele que o árabe odiava, desde que esbofeteara sua irmã. O presidente perguntou, no entanto, se a vítima não tinha alguma razão para me odiar. Raymond disse que a minha presença na praia era resultado do acaso. O promotor perguntou-lhe então por que a carta que dera origem ao drama fora escrita por mim. Raymond respondeu que foi um acaso. O promotor retorquiu que o "acaso" já estava com a consciência muito pesada nesta história toda. Quis saber se fora por acaso que eu não intervira quando Raymond esbofeteara a amante, por acaso que servira de testemunha na delegacia, por acaso ainda que as minhas declarações na ocasião desse depoimento se tinham revelado pura complacência. Para encerrar, perguntou a Raymond quais os seus meios de subsistência, e como este respondesse "comerciante" o promotor declarou aos jurados que a testemunha exercia notoriamente a profissão de proxeneta. Eu era seu cúmplice e amigo. Tratava-se de um drama devasso da pior espécie, agravado pelo fato de estar em presença de um monstro moral. Raymond quis defender-se e o meu advogado protestou, mas disseram-lhe que era preciso deixar o promotor terminar. Este disse:

— Pouco tenho a acrescentar. O acusado era seu amigo? — perguntou a Raymond.

— Sim — respondeu —, era meu amigo.

O promotor me fez então a mesma pergunta e eu olhei para Raymond, que não desviou os olhos.

— Sim — respondi.

O promotor voltou-se então para o júri e declarou:

— O mesmo homem que no dia seguinte à morte da mãe se entregava à mais vergonhosa devassidão matou por motivos fúteis e para liquidar um inqualificável caso de costumes.

Em seguida, sentou-se. Mas o meu advogado, já sem paciência, gritou levantando os braços de tal forma que as mangas, ao caírem para trás, descobriram as pregas de uma camisa engomada:

— Afinal, ele é acusado de ter enterrado a mãe ou de matar um homem?

O público riu. Mas o promotor endireitou-se outra vez, ajustou a beca e declarou que era preciso ter a ingenuidade do ilustre defensor para não sentir que entre as duas ordens de fatos havia uma relação profunda, patética, essencial.

— Sim — exclamou com veemência —, acuso este homem de ter enterrado a mãe com um coração de criminoso.

Esta declaração parece ter tido um efeito considerável sobre o público. Meu advogado deu de ombros e limpou o suor que lhe cobria a testa. Mas ele próprio parecia abalado e compreendi nesta altura que as coisas não iam muito bem para mim.

A sessão foi suspensa. Ao sair do Palácio de Justiça para entrar no carro reconheci por um instante o cheiro e a cor da tarde de verão. Na obscuridade da minha prisão rolante reencontrei, um a um, no fundo do meu cansaço, todos os ruídos familiares de uma cidade que eu amava e de uma certa hora em que me ocorria ficar contente. O pregão dos vendedores de jornais no ar já distendido, os últimos pássaros na praça, o grito dos vendedores de sanduíches, o lamento dos bondes nas pronunciadas curvas da cidade e este rumor do céu antes de a noite descer sobre o porto, tudo isto recompunha para mim um itinerário de cego, que eu conhecia bem antes de ir para a prisão. Sim, era a hora em que, há muito, muito tempo, eu me sentia contente. O que me aguardava então era sempre um sono leve e sem sonhos. E no entanto alguma coisa mudara, pois, com a expectativa do dia seguinte, foi a minha cela que reencontrei. Como se os caminhos familiares traçados nos céus de verão pudessem conduzir tanto às prisões quanto ao sono inocente.

4

Mesmo no banco dos réus, é sempre interessante ouvir falar de si mesmo. Durante as falas do promotor e do meu advogado, posso dizer que se falou muito de mim, e talvez até mais de mim do que do meu crime. Eram, aliás, tão diferentes esses discursos! O advogado levantava os braços e admitia a culpa, mas com atenuantes. O promotor estendia as mãos e denunciava a culpabilidade, mas sem atenuantes. No entanto, uma coisa me incomodava vagamente. Apesar das minhas preocupações, às vezes eu ficava tentado a intervir e meu advogado me dizia, então: "Cale-se, é melhor para o seu caso." De algum modo, pareciam tratar deste caso à margem de mim. Tudo se desenrolava sem a minha intervenção. Acertavam o meu destino sem me pedir uma opinião. De vez em quando tinha vontade de interromper todo mundo e dizer: "Mas, afinal, quem é o acusado? É importante ser o acusado. E tenho algo a dizer." Mas, pensando bem, nada tinha a dizer. Devo reconhecer, aliás, que o interesse que se tem em ocupar as pessoas não dura muito tempo. Por exemplo, o discurso do promotor me cansou logo. Apenas me impressionaram ou despertaram meu interesse alguns fragmentos, gestos ou tiradas inteiras, mas desvinculadas do conjunto.

A essência do seu pensamento, se compreendi bem, é que eu premeditara o crime. Pelo menos foi isso que tentou demonstrar. Como ele próprio dizia:

— Provarei o que digo, senhores, e eu o farei duplamente. À luz ofuscante dos fatos, em primeiro lugar, e em seguida sob a iluminação sombria que me será fornecida pela psicologia desta alma criminosa.

Resumiu os fatos a partir da morte de mamãe. Relembrou minha insensibilidade, o meu desconhecimento da idade dela, o meu banho de mar do dia seguinte, com uma mulher, o cinema, Fernandel, e por fim a volta com Marie. Levei tempo para compreender nesse momento por que ele dizia "sua amante", e para mim ela era Marie. Chegou em seguida à história de Raymond. Achei que à sua maneira de ver os acontecimentos não faltava clareza. O que dizia era plausível. Eu tinha combinado com Raymond escrever a carta para atrair sua amante e entregá-la aos maus-tratos de um homem "de moral duvidosa". Eu tinha provocado na praia os adversários de Raymond. Este tinha sido ferido. Eu tinha lhe pedido o revólver. Tinha voltado sozinho para usá-lo, tinha abatido o árabe como planejado. Tinha disparado uma vez. Tinha esperado. E "para ter certeza de que o trabalho tinha sido bem-feito", tinha atirado mais quatro balas, calmamente, com firmeza, de uma forma de certo modo pensada.

— E aqui está, meus senhores — disse o promotor. — Acabo de descrever diante dos senhores a série de acontecimentos que levou este homem a matar com pleno conhecimento de causa. Insisto nisso — disse ele. — Pois não se trata de um crime comum, de um ato impensado que os senhores poderiam achar atenuado pelas circunstâncias. Este homem, senhores, este homem é inteligente. Ouviram-no falar, não é verdade? Sabe responder. Conhece o valor das palavras. E não se pode dizer que tenha agido sem se dar conta do que estava fazendo.

Eu ouvia e entendia que me consideravam inteligente. Mas não compreendia bem por qual motivo as qualidades de um homem comum podiam tornar-se acusações esmagadoras contra um culpado. Era isto pelo menos o que me impressionava, e deixei de ouvir o promotor até o momento em que ele disse:

— Chegou a mostrar remorsos? Nunca, senhores. Nem uma só vez no decurso do sumário de culpa este homem pareceu abalar-se com seu crime abominável.

Nesse momento, voltou-se para mim e apontou-me com o dedo, continuando a fulminar-me sem que, na realidade, eu compreendesse muito bem por quê.

Não posso deixar de reconhecer, sem dúvida, que ele tinha razão. Não me arrependia muito do meu ato. Mas a sua obstinação espantava-me. Gostaria de tentar explicar-lhe cordialmente, quase com afeição, que nunca conseguira arrepender-me verdadeiramente de nada. Estava sempre dominado pelo que ia acontecer, por hoje ou por amanhã. Mas, naturalmente, no estado a que me haviam levado, não podia falar a ninguém neste tom. Não tinha o direito de me mostrar afetuoso, de ter boa vontade. E tentei continuar a escutar, pois o promotor começou a falar da minha alma.

Dizia que tinha se debruçado sobre ela e que nada tinha encontrado, senhores jurados. Dizia que, na verdade, eu não tinha alma e que nada de humano, nem um único dos princípios morais que protegem o coração dos homens, me era acessível.

— Não poderíamos, sem dúvida, censurar-lhe uma coisa destas — acrescentou. — O que ele não teria possibilidades de adquirir, não podemos queixar-nos de que lhe falte. Mas, no que se refere a este tribunal, a virtude negativa da tolerância deve transformar-se na virtude menos fácil, mas mais elevada, da justiça. Sobretudo, quando o vazio de um coração, assim como o que descobrimos neste homem, se torna um abismo onde a sociedade pode sucumbir.

Foi então que começou a falar da minha atitude em relação a mamãe. Repetiu o que já dissera durante os debates. Mas falou muito mais longamente nisto do que a respeito do meu crime. Tão longamente que por fim passei a sentir apenas o calor daquela manhã. Até o instante, pelo menos, em que o promotor se deteve e, depois de um momento de silêncio recomeçou, numa voz baixa e compenetrada:

— Este mesmo tribunal, meus senhores, vai julgar amanhã o mais abominável dos crimes: o assassínio do próprio pai.

Na opinião dele, a imaginação recuava diante deste atentado atroz. Ousava esperar que a justiça dos homens saberia castigar sem fraquejar. Mas não receava afirmar que o horror que esse crime lhe inspirava quase cedia diante da minha insensibilidade. Ainda na opinião dele, um homem que matava moralmente a mãe devia ser afastado da sociedade dos homens, exatamente como o que levantava a mão criminosa contra o autor dos seus dias. Em todos os casos, o primeiro preparava os atos do segundo, anunciava-os, de certa forma, e legitimava-os.

— Estou convencido, meus senhores — acrescentou, elevando a voz —, de que não acharão o meu pensamento excessivamente audacioso se lhes disser que o homem que está sentado naquele banco é também culpado do crime que o tribunal vai julgar amanhã. E como tal deverá ser castigado.

Nesse ponto o promotor enxugou o rosto brilhante de suor. Disse, por fim, que o seu dever era doloroso, mas que o cumpriria com firmeza. Declarou que eu nada tinha a fazer numa sociedade cujas regras mais essenciais desconhecia e que eu não podia apelar para o coração dos homens, cujas reações elementares ignorava.

— Peço-vos a cabeça deste homem — disse. — E é sem escrúpulos que vos dirijo este pedido. Pois no decorrer da minha longa carreira tem-me acontecido pedir a pena capital, mas nunca como hoje eu senti este penoso dever tão compensado, equilibrado, iluminado pela consciência de um mandamento sagrado e imperativo e pelo horror que sinto diante de um rosto humano onde nada leio que não seja monstruoso.

Quando o promotor se sentou, houve um silêncio bastante longo. Quanto a mim, estava atordoado pelo calor e pela perplexidade. O presidente tossiu um pouco, e em tom muito baixo perguntou se eu tinha algo a acrescentar. Levantei-me, e como estava com vontade de falar, disse, aliás um pouco ao acaso, que não tinha tido intenção de matar o árabe. O presidente respondeu que isto era uma afirmação, que até então não tinha entendido muito bem o meu sistema de defesa e que gostaria, antes de ouvir o meu advogado, que eu especificasse os motivos que inspiraram o meu ato. Disse rapidamente, misturando um pouco as palavras e consciente do meu ridículo, que fora por causa do sol. Houve risos na sala. Meu advogado encolheu os ombros e logo a seguir deram-lhe a palavra. Mas ele declarou que era tarde, que precisava de muito tempo e que pedia o adiamento até depois do almoço. O tribunal concordou.

À tarde, os grandes ventiladores continuavam a revolver a atmosfera espessa da sala, e os pequenos abanos multicoloridos dos jurados agitavam-se todos na mesma direção. A defesa do meu advogado me parecia não ter fim. Em dado momento, no entanto, eu o escutei porque dizia "é verdade que matei". Depois, prosseguiu no mesmo tom, dizendo "eu" a cada vez que falava de mim. Eu estava muito admirado. Inclinei-me na direção de um dos policiais e perguntei-lhe por quê. Mandou que me calasse e, instantes depois, acrescentou:

— Todos os advogados fazem isso.

Mas a mim parecia-me que me afastavam ainda mais do caso, reduziam-me a zero e, de certa forma, substituíam-me. Mas acho que eu já estava muito longe desta sala de audiência. Além disso, meu advogado pareceu-me ridículo. Depois de ter rapidamente falado em provocação, falou também de minha alma. Mas achei que tinha muito menos talento do que o promotor.

— Também eu — afirmou — debrucei-me sobre esta alma, mas, ao contrário do eminente representante do Ministério Público, encontrei alguma coisa e posso dizer que li nele como num livro aberto.

Lera que eu era um bom homem, um trabalhador metódico, incansável, fiel à casa que o empregava, amado por todos, participando das desgraças dos outros. Para ele, eu era um filho modelo, que tinha sustentado a mãe enquanto pôde. Finalmente, eu esperei que um asilo de velhos desse à idosa senhora o conforto que os meus meios não permitiam lhe oferecer.

— Muito me surpreende — acrescentou — que tenham feito tanto barulho por causa desse asilo. Porque, afinal, se fosse preciso dar uma prova da utilidade e da grandeza destas instituições, teríamos de acentuar que é o próprio Estado que as subvenciona.

Não falou, porém, no enterro, e eu senti que isto era uma lacuna da defesa. Mas, por causa de todas estas longas frases, de todos estes dias e horas intermináveis durante os quais se falara da minha alma, tive a impressão de que tudo se transformava numa água incolor que me causava vertigens.

No fim, lembro-me apenas de que, na rua e através de todo o espaço das salas e das tribunas, enquanto meu advogado continuava a falar, eu ouvi o ecoar da buzina do vendedor de sorvetes. Assaltaram-me as lembranças de uma vida que já não me pertencia, mas onde encontrara as mais pobres e as mais tenazes das minhas alegrias: cheiros de verão, o bairro que eu amava, um certo céu de entardecer, o riso e os vestidos de Marie. Tudo quanto eu fazia de inútil neste lugar subiu-me então à garganta e só tive uma pressa: acabar com isto e voltar à minha cela para dormir. Mal ouvi o advogado clamar, para concluir, que os jurados não gostariam certamente de condenar à morte um trabalhador honesto, perdido por um minuto de desvario, e pedir as circunstâncias atenuantes para um crime cujo remorso eterno, o mais seguro dos castigos, eu já arrastava comigo. O tribunal suspendeu a sessão e o advogado sentou-se com um ar esgotado. Mas seus colegas foram cumprimentá-lo. Ouvi: "Esplêndido, meu caro." Um deles chegou até a pedir a minha opinião. Concordei, mas meu elogio não era sincero, porque estava cansado demais.

No entanto, a hora declinava lá fora e o calor já era menos forte. De alguns barulhos da rua que eu ouvia, adivinhava a calma do fim de tarde. Estávamos ali, todos, esperando. E o que esperávamos, todos juntos, só dizia respeito a mim. Voltei a olhar para a sala. Tudo estava do mesmo jeito do primeiro dia. Encontrei o olhar do jornalista de paletó cinza e da mulher-autômato. Isto me fez lembrar que durante todo o processo não tinha procurado uma única vez Marie com o olhar. Não a tinha esquecido, mas tinha estado muito ocupado. Eu a vi entre Céleste e Raymond. Fez-me um pequeno sinal, como se dissesse "enfim" e vi sorrir seu rosto um pouco ansioso. Mas sentia o coração fechado e nem sequer fui capaz de corresponder a seu sorriso.

Os juízes regressaram. Leram para os jurados, muito depressa, uma série de quesitos. Ouvi "culpado de crime"... "premeditação"... "circunstâncias atenuantes...". Os jurados saíram e fui levado para a saleta onde já ficara aguardando. Meu advogado juntou-se a mim: estava muito eloquente e falou-me com mais confiança e mais cordialidade do que nunca. Achava que tudo correria bem e que eu sairia com alguns anos de prisão ou de trabalhos forçados. Perguntei-lhe se havia probabilidades de derrogação, no caso de uma sentença desfavorável. Respondeu que não. A tática que seguira fora a de não indispor o júri. Explicou-me que não se anula um julgamento sem mais nem menos, por nada. Isto pareceu-me evidente, e rendi-me às suas razões. Considerando friamente a coisa, era perfeitamente natural. Caso contrário, haveria uma sobrecarga de papeladas inúteis.

— De qualquer forma — disse-me o meu advogado —, pode-se recorrer. Mas estou convencido de que o desfecho será favorável.

Esperamos muito tempo, acho que bem uns quarenta e cinco minutos. Por fim, soou uma campainha. Meu advogado deixou-me, dizendo:

— O presidente do júri vai ler as respostas. Só o mandarão entrar quando a sentença for pronunciada.

Portas bateram. Pessoas corriam pelas escadas, não sei se longe ou se perto de onde eu estava. Depois, ouvi uma voz surda ler qualquer coisa na sala. Quando a campainha soou novamente e a porta se abriu, foi o silêncio da sala que chegou até mim, o silêncio e aquela sensação singular que experimentei ao constatar que o jovem jornalista tinha desviado o olhar. Não olhei para o lado de Marie. Aliás, não tive tempo, pois o presidente me disse de um modo estranho que me cortariam a cabeça numa praça pública em nome do povo francês. Pareceu-me então reconhecer o sentimento que lia em todos os semblantes. Acho que era consideração. Os guardas mostravam-se muito amáveis comigo. O advogado colocou a mão sobre o meu pulso. Eu já não conseguia pensar. Mas o presidente perguntou se eu não tinha algo a declarar. Refleti. Respondi "Não". Foi então que me levaram.

5

Pela terceira vez recusei-me a receber o capelão. Nada tenho a dizer-lhe, não tenho vontade de falar; de qualquer forma, irei vê-lo muito em breve. O que me interessa neste momento é fugir à engrenagem, saber se o inevitável pode ter uma saída. Mudei de cela. Desta, quando estou deitado, vejo o céu, apenas o céu. Passo todos os meus dias olhando na sua imagem o declínio das cores que conduz o dia à noite. Deitado, ponho as mãos debaixo da cabeça e espero. Já não sei quantas vezes perguntei a mim mesmo se havia exemplos de condenados à morte que tivessem escapado ao mecanismo implacável, desaparecido antes da execução, rompido o cordão de policiais. Censurava-me, então, por não ter prestado bastante atenção às histórias de execuções. Devíamos interessar-nos sempre por estas questões. Nunca se sabe o que pode acontecer. Lera, como todo mundo, reportagens nos jornais. Mas havia, com certeza, obras especiais, que nunca tivera a curiosidade de consultar. Talvez aí eu pudesse ter encontrado relatos de fugas. Poderia ter descoberto que pelo menos em um caso a roda se detivera, que nesta irresistível premeditação o acaso e a sorte, por uma única vez, tivessem mudado alguma coisa. Uma única vez! De certa forma, creio que isto me bastaria. Meu coração faria o resto. Os jornais falavam sempre numa dívida para com a sociedade. Segundo eles, era preciso pagá-la. Mas isto nada tem a ver com a imaginação. O que contava era uma possibilidade de fuga, um salto para fora do rito implacável, uma louca corrida que oferecesse todas as oportunidades de esperança. Esperança, é claro, era ser abatido numa esquina, em plena corrida, por uma bala perdida. Mas, pensando bem, nada me permitia este luxo, tudo me afastava dele, a engrenagem me retomava.

Apesar da minha boa vontade, eu não conseguia aceitar esta certeza insolente. Porque, afinal, existia uma ridícula desproporção entre o julgamento que a fundamentara e o seu imperturbável desenrolar a partir do instante em que este julgamento fora pronunciado. O fato de a sentença ter sido lida não às cinco da tarde mas às oito horas da noite, o fato de que poderia ter sido outra, completamente diferente, de que fora determinada por homens que trocam de roupa e que fora dada em nome de uma noção tão imprecisa quanto o povo francês (ou alemão ou chinês), tudo isto me parecia tirar muito da seriedade desta decisão. Era obrigado a reconhecer, no entanto, que a partir do instante em que fora tomada os seus efeitos se tornavam tão certos, tão sérios quanto a presença desta parede ao longo da qual eu esmagava meu corpo.

Lembrei-me nestes momentos de uma história que mamãe me contava a respeito de meu pai. Eu não cheguei a conhecê-lo. Tudo o que sabia de preciso sobre este homem era talvez o que mamãe me dizia então: ele tinha ido assistir à execução de um assassino. Adoeceu só de pensar em ir. Entretanto, ele foi, e na volta vomitara durante quase toda a manhã. Na época, meu pai me causava uma certa aversão. Agora, porém, eu compreendia, era tão natural. Como não tinha percebido que nada havia de mais importante do que uma execução capital, e que enfim era a única coisa verdadeiramente interessante para um homem! Se algum dia saísse desta prisão, iria assistir a todas as execuções capitais. Acho que estava errado em pensar nesta possibilidade. Sim, porque à simples ideia de me ver livre uma dessas manhãs atrás de um cordão de polícia, do outro lado, de qualquer forma, à ideia de ser o espectador que veio ver e que poderá vomitar depois, uma onda de alegria envenenada me aflorava ao coração. Mas não era racional. Não tinha razão em me entregar a estas suposições porque, instantes depois, sentia um frio tão terrível que me encolhia debaixo do cobertor. Batia os dentes sem conseguir controlar-me.

Mas, evidentemente, não se pode ser sempre racional. Em outras ocasiões, por exemplo, eu fazia projetos de lei. Reformava as penalidades. Observava que o essencial era dar ao condenado uma oportunidade. Uma só oportunidade em mil — isto bastaria para resolver muita coisa. Parecia-me, assim, que era possível encontrar uma composição química cuja absorção mataria o paciente (eu pensava: o paciente) em noventa por cento dos casos. Este estaria a par de tal possibilidade, era esta a condição. Sim, porque, pensando bem, ao ponderar sobre as coisas com calma, eu constatava que o defeito da guilhotina era não haver nenhuma chance, absolutamente nenhuma. A morte do paciente, em suma, estava decidida de uma vez por todas. Era um caso encerrado, um acerto preestabelecido, um acordo selado e em relação ao qual não se podia voltar atrás. Se, excepcionalmente, o golpe falhasse, se recomeçava. Consequentemente, o problema é que era preciso que o condenado desejasse o bom funcionamento da máquina. Digo que este é o lado defeituoso da coisa. Isto é verdade, em certo sentido. Mas, por outro lado, via-me obrigado a reconhecer que nisso residia todo o segredo de uma boa organização. Em resumo: o condenado era obrigado a colaborar moralmente. Era interesse seu que tudo corresse sem contratempos.

Era também obrigado a constatar que até aqui tinha tido sobre todos estes problemas ideias que não eram certas. Julguei durante muito tempo — e não sei por que — que para ir à guilhotina era preciso subir num cadafalso, escalar degraus. Creio que era por causa da Revolução de 1789, quer dizer, por causa de tudo quanto me ensinaram ou me mostraram sobre o assunto. Mas, certa manhã, lembrei-me de uma fotografia publicada pelos jornais na época de uma execução retumbante. Na realidade, a máquina estava colocada simplesmente no chão. Era muito mais estreita do que eu pensava. É engraçado que não me tivesse dado conta disso há mais tempo. Em fotografias, a máquina impressionara-me como uma obra de precisão, acabada e reluzente. Exageramos sempre as coisas que não conhecemos. Eu devia constatar, ao contrário, que era tudo muito simples: a máquina fica no mesmo nível do homem que para ela se dirige. Vai ao seu encontro como se caminha ao encontro de uma pessoa. Também isto era problemático. A imaginação poderia agarrar-se à subida ao cadafalso, à ascensão para o céu. Ao passo que, ainda uma vez, a engrenagem tudo esmagava: era-se morto discretamente, com um pouco de vergonha e muita precisão.

Havia também duas coisas que nunca me saíam da cabeça: a aurora e o recurso contra minha sentença. Não deixava no entanto de discutir comigo mesmo e tentava não pensar mais nisso. Estendia-me, olhava o céu, fazia um esforço para interessar-me por ele. O céu tornava-se verde, era noite. Voltava a me esforçar para mudar o rumo dos meus pensamentos. Escutava o meu coração. Não conseguia imaginar que este barulho que me acompanhava há tanto tempo pudesse um dia cessar. Nunca tive uma verdadeira imaginação. No entanto, tentava imaginar um certo momento em que a batida desse coração não mais se prolongaria na minha cabeça. Mas não adiantava. A madrugada e o recurso estavam sempre lá. Acabava chegando à conclusão de que o mais sensato era não me tentar refrear.

Era de madrugada que viriam, eu sabia. Ocupei as minhas noites, em suma, a esperar por esta madrugada. Nunca gostei de ser surpreendido. Quando me acontece alguma coisa, prefiro estar presente. Eis por que, no final, acabei por só dormir um pouco de dia, enquanto ao longo de minhas noites esperava pacientemente que a luz nascesse na vidraça do céu. O mais difícil era a hora duvidosa em que eu sabia que eles geralmente agiam. Depois da meia-noite, esperava e ficava à espreita. Nunca o meu ouvido captara tantos ruídos e distinguira sons tão tênues. Aliás, posso afirmar que de certo modo tive sorte durante todo este período, pois nunca cheguei a ouvir passos. Mamãe costumava dizer que nunca se é completamente infeliz. Concordava com ela na prisão quando o céu se coloria e um novo dia se insinuava na minha cela. Porque poderia ter ouvido passos, e meu coração poderia ter arrebentado. Mesmo que o menor resvalar me atirasse de encontro à porta, mesmo que com a orelha colada à madeira eu esperasse loucamente até ouvir minha própria respiração, apavorado por achá-la rouca e tão parecida com o estertor de um cão, no final o meu coração não arrebentava e eu ganhava mais vinte e quatro horas.

Durante todo o dia havia o meu recurso. Acho que tirei o melhor partido possível desta ideia. Avaliava a minha situação e obtinha destas reflexões o melhor dos rendimentos. Começava sempre pela suposição mais pessimista: meu recurso seria rejeitado. "Pois bem, então morrerei." Mais cedo do que outros, evidentemente. Mas todos sabem que a vida não vale a pena ser vivida. No fundo, não ignorava que tanto faz morrer aos trinta ou aos setenta anos, pois em qualquer dos casos outros homens e outras mulheres viverão, e isso durante milhares de anos. Afinal, nada mais claro. Hoje, ou daqui a vinte anos, era sempre eu quem morria. Neste momento, o que me perturbava um pouco no meu raciocínio era esse frêmito terrível que sentia em mim ao pensar nesses vinte anos que faltavam para viver. O que tinha a fazer era sufocar esta sensação, imaginando o que seriam os meus pensamentos daqui a vinte anos, quando, apesar de tudo, chegasse a hora. A partir do momento em que se morre, é evidente que não importa como e quando. Portanto — e o difícil era não perder de vista tudo o que este "portanto" representava em matéria de raciocínio —, portanto, o melhor era aceitar a rejeição do meu recurso.

Neste momento, e só então, conquistava, por assim dizer, o direito, dava a mim mesmo licença para abordar a segunda hipótese: a da concessão do indulto. O problema era tornar menos impetuoso esse arrebatamento do sangue e do corpo que me animava os olhos com uma alegria insensata. Precisava dedicar-me a reduzir este grito, a racionalizá-lo. Precisava ficar natural mesmo nesta hipótese, para tornar mais plausível a minha resignação no primeiro caso. Quando conseguia, ganhava uma hora de calma. E isto, apesar de tudo, era importante.

Foi num momento assim que mais uma vez me recusei a receber o capelão. Estava deitado e adivinhava a chegada da noite de verão por um certo tom dourado do céu. Acabava de rejeitar meu recurso e podia sentir as ondas do sangue circularem regularmente em mim. Não tinha necessidade de receber o capelão. Pela primeira vez em muito tempo pensei em Marie. Havia muitos dias que não me escrevia mais. Naquela noite, pensei muito e disse a mim mesmo que ela talvez se tivesse cansado de ser amante de um condenado à morte. Veio-me a ideia de que ela talvez estivesse doente ou morta. Era a ordem natural das coisas. Como poderia eu saber, aliás, já que, além dos nossos corpos agora separados, nada nos ligava, nada nos lembrava um ao outro. A partir desse momento, a lembrança de Marie me passaria a ser indiferente. Morta, deixaria de me interessar. Achava isso normal, assim como compreendia muito bem que as pessoas me esquecessem depois da minha morte. Já não tinham nada a fazer comigo. Nem sequer podia dizer que me era penoso pensar nisso.

Foi neste instante preciso que o capelão entrou. Quando o vi, senti um pequeno tremor. Ele percebeu e disse-me que não tivesse medo. Disse-lhe que habitualmente o capelão vinha em outra ocasião. Respondeu-me que era uma visita inspirada pela amizade, que nada tinha a ver com o meu recurso, a respeito do qual nada sabia. Sentou-se na minha cama e convidou-me a instalar-me perto dele. Recusei. Achei que tinha, apesar de tudo, um ar muito suave.

Ficou sentado por um momento com os antebraços sobre os joelhos, a cabeça baixa, olhando para as mãos. Elas eram finas e musculosas, lembravam-me dois animais ágeis. Esfregou-as lentamente uma na outra. Depois, ficou assim, sempre de cabeça baixa, durante tanto tempo que por instantes tive a impressão de que o esquecera.

Mas pouco depois levantou bruscamente a cabeça e olhou-me de frente.

— Por que recusa as minhas visitas?

Respondi que não acreditava em Deus. Quis saber se tinha certeza disso e eu respondi que não valia a pena fazer-me tal pergunta: parecia-me sem importância. Chegou então para trás e encostou-se à parede, as mãos estendidas sobre as coxas. Quase sem dar a impressão de me falar, observou que às vezes nos julgávamos seguros de alguma coisa quando, na realidade, não tínhamos certeza alguma. Eu nada dizia. Olhou-me e me interrogou:

— Que acha disso!

Repliquei que era possível. Em todo caso, eu talvez não estivesse certo do que realmente me interessava, mas estava totalmente certo do que não me interessava. E, justamente, o assunto de que falava era dos que não me interessavam.

Desviou os olhos e, sempre sem mudar de posição, perguntou-me se eu não falava assim por excesso de desespero. Expliquei-lhe que não estava desesperado. Tinha apenas medo, como era natural.

— Deus irá ajudá-lo, então — observou. — Todos os que conheci no seu caso se voltaram para Ele.

Reconheci que era um direito deles. Isso provava também que tinham tempo para isso. Quanto a mim, não queria que ninguém me ajudasse e justamente me faltava tempo para me interessar pelo que não me interessava.

Neste momento, esboçou com as mãos um gesto de irritação, mas endireitou-se e arrumou as dobras da batina. Quando acabou, dirigiu-se a mim tratando-me de "meu amigo": se me falava desta forma, não era por eu estar condenado à morte; na sua opinião, todos nós estávamos condenados à morte. Mas eu o interrompi dizendo que não era a mesma coisa e que, aliás, isso não servia de forma alguma como consolo.

— Está certo — aprovou ele. — Mas se não morrer hoje, morrerá mais tarde. Surgirá o mesmo problema. Como irá abordar essa terrível prova?

Respondi que a abordaria exatamente como o fazia agora.

Ouvindo isto, levantou-se e fitou-me bem nos olhos. Era um jogo que eu conhecia bem. Divertia-me muitas vezes em praticá-lo com Emmanuel ou com Céleste, e em geral eles desviavam os olhos. Vi logo que o capelão também conhecia bem esse jogo: seu olhar não tremia. E a voz também não tremeu quando disse:

— Não tem então nenhuma esperança e consegue viver com o pensamento de que vai morrer todo por inteiro?

— Sim — respondi.

Baixou então a cabeça e voltou a sentar-se. Disse que lamentava. Achava isso impossível de suportar para um homem. Quanto a mim, senti apenas que ele começava a me cansar. Voltei-me, por minha vez, e fui para debaixo da janelinha. Estava com o ombro encostado à parede. Sem acompanhá-lo com muita atenção, percebi que recomeçava a me interrogar. Falava com uma voz inquieta e insistente. Compreendi que estava comovido e escutei-o melhor.

Dizia-me ter a certeza de que o meu recurso seria acolhido, mas que eu carregava o peso de um pecado do qual precisava me livrar. Na sua opinião, a justiça dos homens não era nada, e a justiça de Deus, tudo. Observei que fora a primeira que me condenara. Respondeu-me que ela nem por isso me lavara do meu pecado. Disse-lhe que não sabia o que era um pecado. Tinham-me apenas dito o que era um culpado. Eu era culpado, ia pagar, nada mais me podiam pedir. Neste momento, levantou-se, e eu pensei que, nesta cela tão estreita, se quisesse mover-se, não tinha escolha. Só podia levantar-se ou se sentar.

Eu tinha os olhos fixos no chão. Ele deu um passo na minha direção e deteve-se, como se não ousasse avançar. Olhava o céu através das grades.

— Está enganado, meu filho — disse ele. — Poderiam pedir-lhe ainda mais. E talvez peçam.

— Mais o quê?

— Poderiam pedir-lhe para ver.

— Ver o quê?

O padre olhou à sua volta e respondeu, com uma voz subitamente muito cansada:

— Todas estas pedras transpiram dor, eu bem sei. Nunca olhei para elas sem angústia. Mas, no fundo do coração, sei também que os mais miseráveis dentre vocês viram sair de sua obscuridade um rosto divino. É este rosto que lhe pedem para ver.

Animei-me um pouco. Disse-lhe que olhava para estas paredes havia meses e meses. Não havia nada nem ninguém no mundo que eu conhecesse melhor. Talvez, há muito tempo, eu houvesse procurado nelas um rosto. Mas esse rosto tinha a cor do sol e a chama do desejo: era de Marie. Procurei-o em vão. Agora, estava acabado. E, de qualquer forma, nunca vira surgir nada deste suor de pedra.

O capelão olhou-me com uma espécie de tristeza. Eu estava agora completamente encostado à parede e o dia escorria-me pela testa. Disse algumas palavras que não ouvi e perguntou, muito rapidamente, se permitia que me abraçasse.

— Não — respondi.

Voltou-se e encaminhou-se para a parede sobre a qual passou lentamente a mão.

— Gosta tanto assim desta terra? — murmurou.

Nada respondi.

Ficou de costas muito tempo. Sua presença pesava-me e irritava-me. Ia dizer-lhe que fosse embora, que me deixasse, quando, virando-se para mim, exclamou de repente, com uma espécie de arroubo:

— Não, não consigo acreditar. Tenho certeza de que já lhe ocorreu desejar uma outra vida.

Respondi-lhe que naturalmente, mas que isso era tão importante quanto desejar ser rico, nadar muito depressa ou ter uma boca mais bem-feita. Era da mesma ordem. Mas ele me deteve e quis saber como eu imaginava essa outra vida. Então, gritei:

— Uma vida na qual eu pudesse lembrar desta vida. — E disse-lhe, logo depois, que já bastava.

Queria continuar a me falar em Deus, mas eu avancei para ele e tentei explicar-lhe, pela última vez, que já não dispunha de muito tempo. Não queria perdê-lo com Deus. Tentou mudar de assunto, perguntando-me por que motivo eu o tratava de "senhor" e não de "meu pai".* Isto me enervou e respondi-lhe que ele não era meu pai: estava do lado dos outros.

— Não, meu filho — disse ele, pondo a mão no meu ombro. — Estou com você. Mas não pode saber, porque tem um coração cego. Rezarei por você.

Então, não sei por que, qualquer coisa se partiu dentro de mim. Comecei a gritar em altos berros, insultei-o e disse-lhe para não rezar. Agarrara-o pela gola da batina. Despejava nele todo o âmago do meu coração com repentes de alegria e de cólera. Tinha um ar tão confiante, não tinha? No entanto, nenhuma das suas certezas valia um cabelo de mulher. Nem sequer tinha certeza de estar vivo, já que vivia como um morto. Eu parecia ter as mãos vazias. Mas estava certo de mim mesmo, certo de tudo, mais certo do que ele, certo da minha vida e desta morte que se aproximava. Sim, só tinha isto. Mas ao menos agarrava esta verdade tanto quanto esta verdade se agarrava a mim. Tinha tido razão, ainda tinha razão, teria sempre razão. Vivera de uma certa maneira e poderia ter vivido de outra. Fizera isto e não fizera aquilo. Não fizera determinada coisa, ao passo que fizera esta outra. E depois? Era como se durante todo o tempo tivesse esperado por este minuto e por essa madrugada em que seria justificado. Nada, nada tinha importância, e eu sabia bem por quê. Também ele sabia por quê.

**Mon père* — tratamento que os franceses dão aos padres. (*N. da T.*)

Do fundo do meu futuro, durante toda esta vida absurda que eu levara, subira até mim, através dos anos que ainda não tinham chegado, um sopro obscuro, e esse sopro igualava, à sua passagem, tudo o que me haviam proposto nos anos, não mais reais, que eu vivia. Que me importavam a morte dos outros, o amor de uma mãe, que me importavam o seu Deus, as vidas que as pessoas escolhem, os destinos que as pessoas elegem, já que um só destino devia eleger-me a mim próprio e comigo milhares de privilegiados que, como ele, se diziam meus irmãos. Ele compreendia? Ele compreendia o que eu queria dizer? Todos eram privilegiados. Só havia privilegiados. Também os outros seriam um dia condenados. Também ele seria um dia condenado. Que importava se, acusado de um crime, ele fosse executado por não ter chorado no enterro de sua mãe? O cão de Salamano valia tanto quanto a mulher dele. A mulherzinha-autômato era tão culpada quanto a parisiense com quem Masson se casara, ou quanto Marie, que queria que eu me casasse com ela. Que importava que Raymond fosse tão meu amigo quanto Céleste, que valia mais do que ele? Que importava que Marie oferecesse hoje a boca a um novo Meursault? Será que compreendia, portanto, este condenado? E que do fundo do meu futuro... Sufocava ao gritar tudo isso. Mas já me arrancavam das mãos o capelão e os guardas me ameaçavam. Foi ele, no entanto, quem os acalmou e me olhou por um momento em silêncio. Tinha os olhos cheios de lágrimas. Voltou-se e desapareceu.

Depois que partiu, reencontrei a calma. Estava esgotado. Atirei-me sobre o leito. Acho que dormi, pois acordei com estrelas sobre o rosto. Subiam até mim os ruídos do campo. Aromas de noite, de terra e de sal refrescavam-me as têmporas. A paz maravilhosa deste verão adormecido entrava em mim como uma maré. Neste momento, e no limite da noite, soaram sirenes. Anunciavam partidas para um mundo que me era para sempre indiferente. Pela primeira vez em muito tempo pensei em mamãe. Pareceu-me compreender por que, ao fim de uma vida, arranjara um "noivo", porque recomeçara. Lá, também lá, ao redor daquele asilo onde as vidas se apagavam, a noite era como uma trégua melancólica. Tão perto da morte, mamãe deve ter-se sentido liberada e pronta a reviver tudo. Ninguém, ninguém tinha o direito de chorar por ela. Também eu me senti pronto a reviver tudo. Como se esta grande cólera me tivesse purificado do mal, esvaziado de esperança, diante desta noite carregada de sinais e de estrelas eu me abria pela primeira vez à terna indiferença do mundo. Por senti-lo tão parecido comigo, tão fraternal, enfim, senti que tinha sido feliz e que ainda o era. Para que tudo se consumasse, para que me sentisse menos só, faltava-me desejar que houvesse muitos espectadores no dia da minha execução e que me recebessem com gritos de ódio.

Este livro foi composto na tipologia Minion Pro
Regular, em corpo 11/16,5, e impresso em
papel off-white no Sistema Cameron da
Divisão Gráfica da Distribuidora Record.